D0833834

**Openbare Bibliotheek
Osdorp**
Osdorpplein 16
1068 EL Amsterdam
Tel.: 020 - 610.74.54
www.oba.nl

Op de helling

© 2014 Klaas Swaak / Uitgeverij Noordboek

ISBN 978 90 330 0454 4
NUR 301

Niets uit deze uitgave mag worden verveelvoudigd en/of openbaar gemaakt door middel van druk, fotokopie, microfilm, internet of op welke andere wijze ook, zonder voorafgaande schriftelijke toestemming van de uitgever.

Vormgeving: De Vries & Luiks

WWW.NOORDBOEK.NL

Op de helling

KLAAS SWAAK

Openbare Bibliotheek
Osdorp
Osdorpplein 16
1068 EL Amsterdam
Tel.: 020 - 610.74.54
www.oba.nl

UITGEVERIJ NOORDBOEK

1

Het was een onopvallende plek. Je moest moeite doen hem te vinden. Als de makelaar er niet met hem naar toe was gegaan, had hij moeten zoeken en uiteindelijk de weg moeten vragen. Als je de weg eenmaal wist; zo gaat het zo vaak... Hem was de plek van meet af aan bevallen en het had hem moeite gekost dat niet te laten blijken. De onderhandelingen moesten immers nog beginnen.

Langs het kanaal stond een rijtje huizen; in het passeren had hij ze niet geteld. De makelaar was na het laatste huis scherp linksaf geslagen en reed over wat een brede kade leek, tot hij halverwege stopte.

Het water was breed. Er lag een binnenschip. Voor hij uitstapte had hij links het bedrijfsgebouw al gezien. In het zonlicht deed de rode baksteen haast pijn aan de ogen. De bakstenen wand werd onderbroken door vaalgrijze metalen schuifdeuren waarvan de verroeste wielen aan een al even verroeste rail hingen. Op de kade stond een kraan. Toen pas was hem de helling opgevallen.

'Dit is het,' had de makelaar gezegd.

Hij had rondgekeken. Aan de overkant van het water stonden hoge bomen. Populieren, dacht hij. Je kon er niet doorheen kijken. Al wist hij al dat die er niet was, hij had toch: 'Is er geen directeurswoning?' gevraagd. Het was een overbodige vraag maar hij stelde die om de makelaar te laten voelen dat dat een gemis was.

'De eigenaar woonde op het schip nadat het huis was afgebrand. In de loods is een kantoor dat er bewoonbaar uitziet.'

'Worden de huizen langs het kanaal ook verkocht?'

'Die zijn al verkocht.'

Hij dacht: wat ik zie is het onverkoopbare deel.

'Een paar oude werfarbeiders wilden niet weg. Iemand heeft een huis voor het weekend gekocht, een jong stel is er gaan wonen en het laatste is naar een vrouw uit de Randstad gegaan. Die wil er permanent gaan wonen.'

De rust was overweldigend. De populieren ruisten, het water glansde in het zonlicht. Aan de overkant van het kanaal zag hij mensen voorbij fietsen.

De makelaar volgde zijn blik. 'Het enige verkeer dat je kunt zien.'

'Het schip zit bij de koop in?' Ook dat wist hij. Het zag er op het oog verwaarloosd uit, slecht in de verf, de luiken verweerd. 'Ik wil de loods graag bekijken.'

Bij het openen van de loods had hij de makelaar moeten helpen de deur een eindje open te schuiven. Hij had zich met enige moeite door de opening gedrukt. Eenmaal binnen was hem de ruimte meegevallen. 'Wat een rotzooi,' was hem ontvallen toen hij aan de schemering was gewend. Aan de kopse kanten waren ruiten en langs de achterwand was een reeks ramen onder de daklijst. De bomen erachter hielden het licht tegen.

'De werf ligt al jaren stil.'

Hij had goed moeten uitkijken waar hij z'n voeten neerzette. De machines waren smerig. Spinrag hing vanaf de spanten tot op een draaibank en een zetbank, vogelpoep was opgehoopt op een werkbank.

Hij had naar rechts gewezen en gevraagd: 'Het kantoor?'

'Inderdaad. Ik zal u voorgaan. Ik heb daarvan een sleutel.'

Nu pas zag hij dat het kantoor in de loods ingebouwd was en dat er een zolder boven was, die door de raampartij aan de kopse kant licht kreeg. Ook het kantoor leek in jaren niet betreden. Maar in tegenstelling tot de loods was het er betrekkelijk schoon. In de inrichting troffen hem twee tekentafels. Op één zag hij een dwarsdoorsnede van een schip, daarnaast tekeningen van spanten. Een binnenschip, stelde hij vast.

'U bent geïnteresseerd?'

'Ik heb gevaren.' Hij had het niet moeten zeggen. Het was een uitnodiging om daarop door te gaan. Dat zou z'n interesse alleen maar groter maken.

'Als ik zo vrij mag zijn te weten...'

'Tankers,' had hij kortaf geantwoord, besloten om niet meer van zichzelf prijs te geven. 'Ik heb het wel gezien.' Hij draaide zich om, baande zich opnieuw een weg door de rotzooi, keek niet op of om, wrong zich weer door de deuropening en stond in het licht. 'Verdomd mooie plek,' mompelde hij.

Hij hoorde de makelaar aan komen lopen.

'Kunt u me weer even helpen?'

'Ach, natuurlijk.'

Ze schoven de deur moeizaam dicht.

'Er moet te veel aan gebeuren,' zei hij, 'voor het op orde is.' Hij wist dat het woord nu aan de makelaar was.

'Misschien dat we toch tot een deal kunnen komen.' Achter de constatering zat een vraag verborgen.

'Ik weet het niet, ik denk het niet.' Hij dacht aan de vier ton die gevraagd werd en schatte de kosten die hij nog zou moeten maken op zeker anderhalve tot twee ton. 'U weet bij benadering wel wat er nodig zal zijn voor het opknappen.'

'De erfgenamen zijn tot onderhandelen bereid.'

Hij was naar de auto van de makelaar teruggelopen, ondertussen de omgeving in zich opnemend. Hij vroeg zich af waar hij elders zou kunnen slagen.

In de auto had hij opgelet hoe de makelaar terug reed naar de snelweg. Rechtsaf langs het kanaal, voorbij het rijtje huizen, linksaf de brug over en dan voorbij een twintigtal woningen links en rechts, en dan over een lange, rechte weg naar het dorp parallel aan de snelweg. Aan beide kanten van het dorp wist hij op- en afritten.

Tijdens de rit had hij gezwegen. Bij het motel aan de snelweg had de makelaar hem afgezet.

Vlak voor hij uitstapte had hij de makelaar bedankt. 'Ik bied tweeën-eenhalve ton.' Hij had het antwoord niet afgewacht, was uitgestapt en weggelopen. Pas toen de makelaar vertrokken was, was hij in zijn auto gestapt.

Veertien dagen later hoorde hij dat zijn bod geaccepteerd was. Zijn huis in IJmuiden had hij al te koop gezet.

2

Willem Bos had vanaf zijn tweeëntwintigste gevaren, bijna vijfendertig jaar en was inmiddels een half jaar thuis. Wat heette thuis? Het huis in IJmuiden had hij na tien jaar varen kunnen kopen. Het heette een herenhuis te zijn en hij had het gekocht – met een bewoonster die hij tot het einde van haar leven het gebruik van de benedenverdieping liet. Ze was destijds tegen de zestig, weduwe van een reder. Het was haar 'aangenaam' geweest, zoals ze zei, dat hij voer en misschien nog wel meer dat hij maar af en toe van z'n verdieping gebruik zou maken. Hij had haar altijd laten weten wanneer hij zou komen. De omgang met haar was hem niet onaangenaam geweest. Haar dood had er een eind aan gemaakt. De laatste keren dat hij thuiskwam voor hij definitief aan wal bleef, had het huis leeg gestaan. De familie had de benedenverdieping leeggehaald en hij was er niet toe gekomen na de verbouwing boven, beneden eenzelfde ingreep te laten uitvoeren. Hij had geen zin beneden te gaan wonen. Hij had het gevoel dat beneden zijn plek niet was. Daar was háár plek en hij herinnerde zich de gesprekken die hij met haar had gevoerd als hij van zee kwam. Waarover hadden ze gesproken? Hij had altijd verteld over de reizen die hij had gemaakt, de eerste jaren als stuurman op een tanker, over de promoties van derde, naar tweede en eerste stuurman. Hij was kapitein geworden en had de tankervaart verruild voor de sleepvaart. Ze had nog geweten van z'n laatste overstap: naar het onderzoeksschip dat onder de zeebodem olie en aardgas sondeerde. Hij had haar nauwelijks meer dan dat kunnen uitleggen, volgestouwd als het schip was met apparatuur die hij zelf niet de baas was. 'Ik ben er alleen maar voor het varen.' Toen ze er niet meer was, besefte hij dat hij haar aanwezigheid miste, niet alleen omdat hij zijn verhaal niet meer kwijt kon, maar ook omdat hij haar verhalen niet meer hoorde. Al had hij sommige met het klimmen van haar jaren vaker gehoord, het was aangenaam geweest haar over het verleden, haar eigen en dat van IJmuiden te horen praten. Het had hem weliswaar herinnerd aan Vlaardingen maar hij had daar niet over willen praten. Hij kon geen waardering voor zijn eigen verleden opbrengen. Het zat hem dwars.

Het was gek dat hij haar rouwkaart pas maanden later terugvond in de stapel post die op de trap lag. Hij had haar graf opgezocht en gezien dat ze bij haar man begraven was, haar naam onder de zijne.
Herman Landsman, Henriëtte Landsman-de Goede. De letters van beider namen verguld zodat het leek alsof ze gelijktijdig begraven waren.

Toen pas realiseerde hij zich dat ze jong weduwe geworden was. Daarover had ze nooit met hem gesproken. Elk had dus een deel van z'n geschiedenis niet aangeroerd.

Door haar verhalen was hij anders naar IJmuiden gaan kijken. Hij had de plek gekozen omdat hij aan zee wilde wonen. Het had voor de hand gelegen dat hij een woning in Hoek van Holland had gekocht. Dichter bij het Botlekgebied waar hij jarenlang aangemeerd had. Maar dat was hem te dicht bij Vlaardingen geweest. En Amsterdam vond hij aantrekkelijker dan Rotterdam. Hij had in IJmuiden gekeken, er rondgelopen, was in verschillende cafés geweest, had praatjes gemaakt om z'n licht op te steken. Hij had de indruk gekregen dat naarmate je dichter bij het water kwam, het een soort badgasten was dat daar huisde, dat er ook van die mannen van het snelle geld tussen zaten – hun jachten lagen in de Seaport Marina IJmuiden – en daar wilde hij niet tussen zitten. Bovendien lokte hem een appartement niet.

Het huis in het centrum had te koop gestaan zonder dat een bord voor de deur hem daarop attendeerde. Bij een makelaar had hij in het aanbod gezocht en die had hem gewezen op het huis dat op voorwaarde van medebewoning te koop stond. 'Ik raak het onder die voorwaarde niet kwijt.' Hij had de beschrijving gelezen, de foto's van het pand gezien, niets besloten en alleen gezegd dat hij erover wilde nadenken. Dat hoefde eigenlijk niet; hij had al besloten toen hij afscheid nam.
Tot ergernis van de makelaar, bleek later, had hij het huis opgezocht en er aangebeld. Op de donkere, gelakte voordeur had in wit letterschrift H. Landsman gestaan. Hij had het schrift bewonderd. Het gesprek aan de deur was stroef begonnen – 'Ik heb dit niet afgesproken met de makelaar, meneer,' – maar toen hij verteld had dat hij voer was het ijs gebroken. Hij had mogen binnenkomen en het huis na een gesprek met mevrouw Landsman mogen bekijken.
Ze was bijna veertig jaar ouder geweest dan hij, was weduwe en had geen kinderen. Ze had altijd in IJmuiden gewoond. Er was van meet af aan een verstandhouding geweest die met de jaren tot vertrouwelijkheid had geleid. Hij had altijd over z'n laatste reis verteld. Verder dan tot de

opleiding in Vlissingen aan de Hogere Zeevaartschool was hij nooit teruggegaan. Zij had wel over haar verleden gesproken, waarin de oorlogsjaren een grote rol speelden. Naarmate ze ouder werd, werden haar verhalen anekdotischer en ten slotte onsamenhangend.

Nu was ze er niet meer. Hij had haar graf bezocht. Zij was de enige band met IJmuiden geweest en die was daarnaast nooit nauw geworden. Hij kon er weliswaar blindelings de weg vinden maar bleef met al de opgedane kennis een buitenstaander. Hij erkende dat hij zelf ook geen moeite had gedaan daarin verandering aan te brengen.

Afscheid nemen van IJmuiden had hem geen moeite gekost. Pas toen hij verhuisd was, had hij aan het strand en de wandelingen gedacht.

3

Hij had zich van jongs af aan altijd ver van huis bewogen. Hij was op de zeesleepvaart in Azië geweest, in Japan en Alaska. Daarbij vergeleken waren de reizen met de tanker van het Midden-Oosten naar Rotterdam haast routinevaarten. Op het peilschip had hij langs de kusten van Zuid-Amerika gevaren, tot aan Vuurland. Op zee had hij moeilijk verder weg van Vlaardingen kunnen komen. Nu hij weer aan de wal was, dreef hem eenzelfde centrifugale kracht. Hij had nauwelijks noordelijker kunnen gaan wonen.

Op de lagere school en daarna, tot hij naar Vlissingen was gegaan, had hij Vlaardingen afgewezen. Als hij aan z'n jeugd dacht, ging het over Maassluis. Daar zaten Smit van het sleepvaartbedrijf en Van der Tak van de scheepsberging. Hij fietste er als kind al heen, vroeg wanneer de slepers of bergers terug verwacht werden en kon uren wachten op de schepen. Thuis wisten ze nauwelijks waar hij de tijd na school doorbracht. Hij zei dat hij gevoetbald had, bij een vriend z'n huiswerk had gemaakt of op de fiets naar de Maas was gereden.

Willem was met een stoel naar buiten gelopen en in de zon tegen de muur van de loods gaan zitten. Hij had z'n pet over z'n voorhoofd getrokken omdat het licht op het water voor hem te fel was.

Waardoor kwam het dat hij aan die jaren in Vlaardingen en Maassluis moest denken? Het verleden keerde terug met een kracht die hij niet kon weerstaan. Wat had hij meer kunnen wensen dan naar de schepen te kijken in de Oude Haven, waaraan hun huis stond? Schepen? De jachtjes en kruisers die daar aangemeerd lagen had hij eigenlijk maar kinderachtig gevonden. Het was speelgoed en niet het echte werk. Het was niet omdat er geen schip van hen lag; hij was niet jaloers op jongens uit de klas die op zaterdag met hun vaders het water op gingen. Toen wist hij al dat hij naar zee wilde. Weg, weg van huis, ver weg.

Thuis had hem benauwd. De school sloot daarop aan. Hij was op de lagere school onhandelbaar genoemd en had met tegenzin z'n middelbare school afgemaakt. Het was dat diploma geweest, dat de weg vrijmaakte voor de zeevaartschool, dat hem gemotiveerd had.

De kloterapporten op de lagere school met 'toont onvoldoende belangstelling' achter Godsdienst en iedere keer een aparte aantekening over z'n gedrag. Van 'laat te wensen over' tot 'moet te vaak worden gecorrigeerd.' De keer dat er achter ijver 'presteert onder z'n niveau' had gestaan, had hij zich min of meer betrapt gevoeld. Hij wist wel dat hij meer kon. Over de andere kwalificaties had hij z'n schouders opgehaald. Daar had hij wel de klappen voor opgelopen. Zijn vader had uitgehaald toen hij de kanttekeningen bij Godsdienst had gelezen. Hij had het zonder te piepen ondergaan, wat hem een extra aframmeling opleverde. Zijn moeder had het zonder in te grijpen gadegeslagen en was hem ook na afloop niet nader gekomen.

Hij had naar catechisatie gemoeten, alleen antwoorden gegeven als hij er toe gedwongen werd en nooit vragen gesteld. De kerkgang tweemaal op zondag had hij lijdelijk ondergaan, lusteloos meezingend. Hij deed alsof hij luisterde maar dacht aan de schepen die hij wilde zien binnenvaren en die misschien al binnen waren.

Op de middelbare school had hij zich langzaam aan het juk van thuis weten te ontrekken. Hij kreeg praatjes, vond zijn vader, voor hem geen betere aansporing om te volharden. Zijn vader trok zich terug in zwijgen als hij zijn kennis ventileerde en noemde hem eigenwijs. Een ouderling die op bezoek kwam, hield hem opnieuw voor wat zijn ouders niet gelukt was. Zonder resultaat overigens.

De aangeharkte voortuintjes, de gelapte ramen, de gepoetste deurbel, het 'ja vader' en 'nee vader,' het gebed voor het eten, de bijbellezing en het dankgebed, aan heel dat gareel had hij een gruwelijke hekel.

Hij had nog één strijd moeten voeren. Zijn ouders vonden dat hij naar Rotterdam moest en voorlopig beter van huis uit kon studeren. Hij wilde naar Vlissingen, de deur uit. Pas toen hij zich had laten keuren, een paspoort had aangevraagd en gezegd had dat hij aangemonsterd had, waren ze overstag gegaan. 'Ga maar naar de personeelschef die me aannam,' had hij gezegd. Dat hij het minste werk had aanvaard was z'n ouders' eer te na geweest. Hij had naar Vlissingen gemogen.

Die zomer had hij op een sleper meegevaren, zonder gage, tegen de kost, omdat hij geen opleiding had. Het was hem, verdomme nog aan toe, niet meegevallen.

Z'n ouders hadden hem niet weggebracht. De sleepboot lag in de Jobshaven. Daar zou de ambtenaar van monstering aan boord komen om z'n nieuwe en nog lege monsterboekje af te tekenen. De kapitein had hem een aardig hutje gegeven, helemaal voorin tegen de anker-kettingbak aan, wat hij toen nog niet wist. Het hutje zou hij moeten delen met een leerling-scheepswerktuigkundige. Omdat die een andere wacht liep, hadden ze geen last van elkaar. Behalve de eerste dagen.

Ze hadden dagwerk: repareren en storen. Het was een mooie manier geweest om het schip te leren kennen. Met de leerling was hij in de machinekamer geweest en hij was geïmponeerd door de grote motoren en de drijfstangen er boven. De motorman had uitleg gegeven.

De dag dat ze wegvoeren was hem altijd bijgebleven. De motoren waren opgestart en beneden was het een onbeschrijflijke herrie. Aan dek had de bootsman de mannen aangestuurd en hij had meegeholpen de trossen onderdeks op te bergen. Op de rivier had hij zich een hele piet gevoeld, maar tussen de pieren kwam er beweging in de boot en op zee was hij doodziek geworden. In de messroom had de boots hem een pot bier gegeven, maar hij had alles er opnieuw uit gekotst. Pas na z'n tweede biertje was hij er doorheen gekomen.

Er was geen sleepwerk in de planning en op de Shetland Eilanden, bij

Lerwick, hadden ze op station gelegen. De radio-officier had onderweg erheen op de noodfrequenties zitten luisteren maar er was geen job geweest. Wel was deze een paar maal naar de radiohut gevlogen om te luisteren of er een schip in nood was. De piepjes kon hij overal horen, tijdens het eten, tijdens schoot an als er een borrel stond ingeschonken maar ook op het dek als hij in de zon zat. Het leek alsof de man nooit sliep. Terwijl ze voor anker lagen, werd het schip in de verf gezet. Het was de enige keer dat het pesten uit de hand was gelopen. Het waren geen kwaaie kerels en de oudsten hadden hem en de leerling ook wel in bescherming genomen. Wie die zomermiddag begonnen was hen in de maling te nemen, wist hij niet meer. Maar opeens hadden ze in hun blote kont gestaan met de menie op hun billen. Het was geen gezicht geweest. De kapitein had even moeten lachen maar toen ingegrepen. De mannen hadden hen daags daarop met het werkbootje meegenomen naar de wal. Om het goed te maken werden ze getrakteerd. Niet dat de Schotten het erg met hen op hadden toen ze kwamen aanzetten. Aangeschoten waren ze daarna door Lerwick gelopen. Ze hadden hem bij een hoer binnen- geloodst die meer geïnteresseerd was geweest in z'n vlekkerige rode billen dan in z'n armzalige mannelijkheid maar ze had hem toch ontmaagd. Of het lekker was, hadden ze hem gevraagd toen hij weer buiten stond. Hij wist het toen niet en hij wist het nu niet. Hij herin- nerde zich alleen haar schoot en de vreemde opwinding later toen hij weer in z'n kooi lag.

Twee maanden na z'n vertrek uit Maassluis was hij naar huis terugge- gaan; er was geen job geweest.

Hij had naar huis getelegrafeerd om geld en de kapitein had er wat bijgedaan. Met de ferry naar Aberdeen, de trein naar Hull en toen op de boot naar Rotterdam – het was voor het eerst van z'n leven dat hij alleen reisde. Het was een compensatie voor een jeugd waarin hij nooit in het buitenland was geweest. Thuis had hij niet veel verteld. De zeevaart- school verwachtte hem.

De reis had hem in Vlissingen een voorsprong gegeven.

Willem grinnikte: hij was er een buitenbeentje geweest – voor het eerst in z'n leven in goede zin; ze keken naar hem op toen hij over z'n reis had verteld. Over de hoer had hij gezwegen.

Hij rekte zich uit en gaapte. Hij drukte z'n pet wat omhoog. Hij schoof de stoel wat naar voren en leunde achterover. Het was een goed besluit geweest hier neer te strijken. Met de lege kade voor zich, de kraan die tegen de lucht afstak, de populieren aan de overkant van het water, het logge binnenschip en niet te vergeten de warmte leek een wens vervuld. Later zou hij de werf aanbieden voor reparaties en winterstalling. Eerst moest hij het kantoor beter inrichten zodat hij er kon gaan wonen en dan de loods opruimen. Hij kwam overeind, zette de stoel binnen, liep over de kade en ging aan boord. Wat hij zag bevestigde z'n eerste indruk; het schip was verwaarloosd.

4

Willem was achter de verhuisauto aangereden naar het noorden. De verhuizers waren nog nooit in dit deel van Groningen geweest. Eentje zei: 'Ik wil hier nog niet dood begraven worden' en een andere: 'Levend wel?' toen ze aangekomen waren. Daar had hij het mee kunnen doen. 'Doe ze de groeten in IJmuiden,' had hij geantwoord. Wat hem betreft konden ze doodvallen.

Toen de verhuizers het huis leeggemaakt hadden en waren gaan eten, was hij achtergebleven en er doorheen gelopen. Het was onttakeld. Het was hem vreemd te moede. Beneden kon hij zich nauwelijks goed meer voorstellen hoe het ingericht was. Van de slaapkamer en de keuken had hij geen voorstelling – hij was er nooit geweest – en in de grote woonkamer was hij in beslag genomen door de redersvrouw die altijd in dezelfde stoel bij het raam had gezeten als hij haar bezocht. Die stoel en dat raam, een deel van het uitzicht als hij tegenover haar zat, een deel van de wand met het gordijn, de opgebonden vitrage voor de ramen, dat kon hij zich nog herinneren. Maar als hij haar moest beschrijven zou hij over haar kleding weinig kunnen zeggen, alleen haar gezicht was hem bijgebleven. Het opgestoken haar dat in een knot eindigde, de slapen die zichtbaar waren, de wenkbrauwen die elkaar bijna raakten, de grijze ogen, de blos op haar wangen die bijna vlekkerig was, de dunne lippen en de manier waarop ze haar hoofd schuin hield als ze luisterde, dat alles zag hij voor zich. Hij keek naar de plek waar ze altijd had gezeten en luisterde ingespannen alsof hij haar stem dan zou horen. Met een zucht had hij zich omgedraaid.

Boven, waar hij meer dan vijfentwintig jaar gewoond had, alleen als hij zijn verloven had trouwens en nooit langer dan enige maanden per jaar behalve tijdens het sabbatical year dat hij in Argentinië met verlof was geweest, vervaagden de beelden al. Via de trap waar de loper al vanaf was, kloste hij naar boven. Het was een ongewoon geluid dat overging in een holle galm. Het waren de verkleuringen op het behang en op de houten vloer waar kasten hadden gestaan, die de beelden van de inrichting opriepen. Hij was verwonderd dat je zo snel iets kwijt was. Er was boven ook nooit een vrouw geweest die iets veranderd, laat staan er beslissend in ingegrepen had. Misschien wanneer Elvira uit Comodoro haar leven met hem in Holland had kunnen delen, zich tegen een verhuizing verzet zou hebben en een verliesrekening had opgemaakt. Het wekte even een pijnlijk gevoel bij hem op. Automatisch controleerde hij voor de tweede keer of hij gas, water en licht afgesloten had. Hij duwde nog een keer tegen de deur toen hij er het nachtslot op had gedraaid. De gedachte aan de vrouw vervaagde toen hij buiten kwam waar de verhuizers al stonden te wachten. Hij had niet meer naar het huis omgekeken.

Hij had de schuifdeur van het slot gedaan en met een van de mannen de schuifdeur zo ver open geduwd dat de verhuiswagen er met geopende deuren voor kon staan. In het kantoor hadden de verhuizers de teken-tafels aan de kant geschoven; hij had er z'n inboedel laten onderbrengen. Z'n bed, een stoel en de magnetron had hij apart gehouden.

Terwijl hij in het kantoor was gebleven om de verhuizers te zeggen waar ze alles moesten neerzetten, had hij ontdekt dat er achter een deur die hij voor een uitgang hield, een aparte ruimte was met tafels en stoelen en een klein aanrecht. Aan de wand daartegenover was een ingang naar een langwerpige ruimte met een toiletpot, een urinoir en een wastafel.

Hij had z'n bed, stoel en de magnetron gebracht naar wat hij veronder-stelde de kantine was.

De eerste dagen had hij vrijwel niets gedaan. Hij had z'n stoel naar buiten gedragen en in de zon gezeten. Pas toen hij door z'n voorraad levensmiddelen heen was, was hij naar het dorp gereden. Bij z'n terugkeer zat iemand op z'n stoel.

Terwijl Willem stopte, liep de man op hem af.

'Nieuw?'

Willem knikte.

'Naar de super geweest?'

'Ik ben Bos. Willem Bos.'

'Jan Schipper. Ik woon om de hoek. Het eerste huis.' Hij wees naar de woningen langs het kanaal.

Willem deed de achterklep open en zette de dozen met boodschappen op de grond. Hij nam de man even op. Vijfenzestig, zeventig, dacht hij. Hij verbaasde zich niet over de blauwe overall en de klompen, wel over de vanzelfsprekendheid waarmee de man optrad. De man kon op de werf gewerkt hebben en voelde zich nog steeds op eigen terrein, overwoog hij.

'Ik ben blij dat er weer iemand op de werf is.'

'Je mag wel binnenkomen.'

'Ik heb lang genoeg gezeten.'

Schipper had een doos opgepakt en was achter Willem de loods in gelopen, door het kantoor naar de kantine.

'Ik had al gedacht: hij woont niet op de boot.'

Er ontgaat de mensen niks, ging door Willem heen.

'Van Diepen is er op gaan wonen na de brand. Kort daarna is de werf dicht gegaan.'

Willem greep de gelegenheid aan om de aandacht van zichzelf af te leiden. 'In de brand, uit de brand?'

'Ja, hij wel, maar ik was m'n werk kwijt en ging de ww in.'

'Ik pak er een stoel bij, dan gaan we buiten zitten. Koffie?'

Willem had Schipper een stoel uit de kantine meegegeven en had koffie gezet.

Ze hadden het gesprek buiten voortgezet. Heel langzaam kreeg Willem meer te horen over wat Schipper dwars zat. Deze had z'n huis moeten kopen of moeten vertrekken.

'Terwijl ik er woonde vanaf de dag dat de ouwe Van Diepen me aangenomen had. Ik zei hem dat zijn vader me beloofd had dat ik er altijd mocht blijven wonen. Verdomme. Hij zei tegen me dat als ik het huis kocht, dat er dan toch geen probleem was? Wat moest ik? Ik kon niet tegen die klootzak op. Nou ja, hij is dood, eerder dan ik.' Het klonk triomfantelijk. 'Maar m'n centen zitten in het huis, ik kan geen nieuwe auto kopen en moet zuinig zijn.'

Willem had gezwegen, z'n koffie gedronken, Schipper een tweede kop ingeschonken, 'suiker, melk?' en naar het schip gekeken.

'Ik wil het schip opknappen. Ik kan daarbij wel hulp gebruiken. Maar eerst moet ik de loods opruimen.' Hij voelde de belangstelling van Schipper. 'Ik betaal natuurlijk.' Verder wilde hij nu niet gaan; hij had Schippers hulp voor urgenter zaken nodig.

'Ik ben voor m'n boodschappen naar het dorp geweest. Ik heb er rondgereden, de zaak een beetje verkend. Ik zocht eigenlijk een smid die de schuifdeur kan maken. En ik wil een gewone toegangsdeur in de schuifdeur.'

Schipper had zich omgedraaid en de deur bekeken.

'Dat kan ik wel voor je doen.'

Willem begreep dat hij onder dat aanbod niet uit kon. 'Prima, wanneer kun je beginnen?'

'Morgen al wel.'

'En het gereedschap?'

Schipper had gegrijnsd. 'Je dacht toch zeker niet dat ik Van Diepen overal voor betaald heb?'

5

Schipper had hem gezegd dat hij in het dorp niet alles kon krijgen wat hij nodig had voor de aanpak van de schuifdeur. 'Ik moet er voor naar Hoogezand of de stad.' Willem begreep dat met de stad Groningen bedoeld werd.

Ze hadden er een halve dag aan besteed. Schipper had Willems aarzeling gemerkt toen hij de prijs van een lasapparaat in de bouwmarkt vroeg.

'Koop of huur?'

'Het hangt ervan af wat je van plan bent,' had Schipper gezegd. Het had Willem in één keer voor de vraag gesteld wat hij nu eigenlijk wilde. Voor de beantwoording was hij nog niet klaar. 'Ik weet het niet, nog niet.' Hij had plannen met de werf maar concreet waren ze nog niet. 'Ik wacht nog maar even.' Het waren praktische vragen die hem enigszins overrompelden. Zo had hij geen aanhanger om grote dingen te vervoeren. Ze waren teruggereden en hij had gezwegen over z'n plannen. Schipper had hem laten stoppen bij een landbouwmechanisatiebedrijf. 'Ik ken de baas, ik regel wel wat.'

'Gelukt,' zei hij toen hij weer instapte.

'Wat is je gelukt?'

'Ze lenen ons een lasapparaat. Nu hebben we alles wat we nodig hebben.' Hij somde het gereedschap op: 'De haakse slijper, de slijpschijven, veiligheidsbrillen, een metaalknipschaar, een rolmaat, een waterpas. In de loods moeten we ook nog maar even kijken.'

Ze hadden daarna gezwegen. Willem had aan de plannen met de werf gedacht maar er zich niet aan kunnen overgeven door een onverwachte vraag van Schipper: 'Je bent niet van hier. Waarom ben je hier naartoe gekomen?'

Hij had niet over Vlaardingen willen spreken. Niet over z'n jeugd en wat daar gebeurd was; niet over de familie waarmee de banden verbroken waren. Met de aantrekkingskracht van de zee hoefde hij helemaal niet aan te komen, hoewel die hem ver weg gebracht had. Hoe legde je uit dat hij zich wilde terugtrekken? Er waren zoveel redenen, hier in Nederland, maar ook in Argentinië. Hij wilde het ook niet uitleggen, althans dát niet.

'Ik zocht de rust. Ik heb een rusteloos leven gehad. Ik heb altijd gevaren. Ik had een huis in IJmuiden waar ik woonde als ik met verlof was. Maar toen ik met pensioen ging, was het me daar te druk. Ik was op zoek naar een plek aan de wal waar water was, waar schepen waren, waar ik ook op het water kon zijn. Ik heb dat hier wel gevonden.'

'Gevaren?'

'Een aantal jaren op de tankervaart. Het verveelde me op het laatst vrijwel steeds dezelfde route te varen. Van het Midden-Oosten naar

Rotterdam. De keer dat het spannend was, was voor de kust van Somalië. Ik heb zo'n poging tot kapen meegemaakt. Dat is nu schering en inslag. Toen ben ik op de zeesleepvaart terecht gekomen; soms werkten we mee aan een berging maar meestal was het sleepwerk. Booreilanden, dokken, baggerbakken. De laatste jaren was ik kapitein op een schip dat bodem-onderzoek voor de kust van Zuid-Amerika deed.'

'Wat?'

'Onderzoek naar olie en gas onder de zeebodem.'

'Je hebt wel veel gezien.'

'Dat kun je wel zeggen, ja.'

Schipper zweeg, onder de indruk.

'En wat heb jij van de wereld gezien?' Domme vraag, dacht hij, waar zou Schipper geweest kunnen zijn als hij al bij de ouwe Van Diepen begonnen was? Hij zon op een vervolgvraag die het verschil tussen hen kleiner kon maken maar het lukte hem niet.

'Je moet op de volgende kruising rechts.'

'Ik was hier rechtdoor gegaan en dan door het dorp.'

'Ja, maar rechtsaf is korter.'

'Ik moet de weg hier nog leren kennen.'

'De route over de Middellandse Zee is makkelijker.'

'Jezus, Schipper!'

'Ja, meneer Bos, de wereld is maar klein.'

'Verdomme, Schipper, geen gemeneer. Ben je hier nooit weg geweest?'

'Mijn vader werkte op de werf, ik ging naar de werf. Zo ging dat; ik bofte dat ik eerst nog naar de ambachtsschool ging.'

'Hoe zo, bofte, je moest toch naar school?'

'Zonder fiets zeker. Lopende naar Hoogezand? Die fiets kwam er omdat m'n moeder aandrong bij m'n vader. Na de ambachtsschool kon ik hier aan het werk.'

Willem dacht aan school, aan de scholen waaraan hij de pest had gehad – de zeevaartschool daargelaten.

Ze zwegen tot hij stopte op de kade en de auto achteruit tot voor de schuifdeur reed.

Willem ontruimde de werkbank en Schipper zette het gereedschap erop.

'Ik wil morgen wel beginnen,' zei Schipper.

Ik kan niet meer terug, dacht Willem. 'Wat mij betreft kan dat.'

Ze stonden weer buiten bij de auto. Toen Willem op het punt stond de auto te verrijden, zei Schipper. 'Je had ook bezoek, hè?'

'Hoe kom je daar bij?'

'Er reed een auto de kade op. Ik stond in de voortuin en zag hem afdraaien.'

'Ik heb geen bezoek gehad. Wie zat er in de auto?'

Schipper haalde z'n schouders op. 'Dat weet ik niet.'

'Vreemd,' had Willem gezegd.

'Dan ga ik maar. Tot morgen.'

Willem was peinzend naar binnen gegaan. Bezoek voor hem? Wie wist er dat hij hier woonde?

6

Schipper zou dan wel beginnen maar over wat er daarna moest gebeuren raakte Willem alleen maar besluitelozer toen hij dacht aan de rotzooi in de loods, z'n meubilair dat opgeslagen was in het kantoor en aan de kantine waarin hij bivakkeerde. Hij had het terrein verder verkend en was er toen pas achter gekomen hoe verwaarloosd het was. De kade zag er met de betonplaten nog redelijk uit, al was er hier en daar eentje verzakt. De helling lag er goed bij en kon direct gebruikt worden als dat het geval mocht zijn. De loods op zich was ook in goede staat – er waren geen gebroken ruiten. Ze waren wel vuil, zoals de loods ook van binnen smerig was. Hij zou het dak op moeten om te kijken of dat nog heel was. De hoge struiken naast de loods bleken een bosje te zijn dat de loods scheidde van het hoekhuis van het rijtje woningen langs het kanaal. Hij stapte in de struiken rond en ontdekte resten van een muur, een betegelde vloer, de deksel van een afvoerput en puin. De directeurs-woning was vrijwel tot de fundering afgebroken na de brand en daarna had Van Diepen de natuur kennelijk haar gang laten gaan.

Pas toen dit beeld compleet was, kreeg hij een idee van al het werk dat hem te wachten stond.

Misschien zou Schipper bereid zijn hem langer te helpen. Toen het lasapparaat was gebracht, had hij twee dagen aan de schuifdeur gewerkt, Willem had meegeholpen, voor zover je dat meehelpen kon noemen. Hij had gereedschap aangereikt en gekeken hoe Schipper zijn werk deed. Hij was handig.

In de pauze had Willem Schipper gevraagd waar hij dat geleerd had.

'Niet op school; op de werf moest je alles doen. Je keek het af en je kreeg een schop onder je kont als je het niet goed deed. Simpel zat.'

Schipper had niet alleen de deur in de schuifdeur geplaatst, hij had de schuifdeur ook weer werkend weten te maken. Toen het werk klaar was en ze buiten zaten, had Willem gevraagd wat hij hem schuldig was.

'Niks.'

'Niks?'

'Dat heb je goed gehoord.'

'Kom op!' Willem had gezwegen. 'Ik heb hier meer werk, Je kunt bij me aan het werk, maar dan betaal ik wel.'

Schipper was akkoord gegaan. Alleen wilde hij dat er elke dag dat hij werkte, contant afgerekend werd. En hij wilde wegblijven als hem dat uitkwam.

Daarvan was niets gekomen. Schipper had de loods opgeruimd en alles wat onbruikbaar was tegen de buitenmuur gezet. Willem had eerst de kantine schoongemaakt en ingericht. Het leeggekomen kantoor was toen aan de beurt; daarin had hij het kantinemeubilair gezet en de tekentafels in het licht geplaatst.

Ze hadden samen koffie gedronken; alleen om twaalf uur was Schipper naar huis gegaan om te schaften.

Het kan vreemd lopen, dacht Willem. Hij had jarenlang nauwelijks gesprekken gehad behalve die op de brug over de vaart en zelfs in die weinige gesprekken had hij zich nauwelijks of nooit blootgegeven. Een dagindeling van vier uur op en vier uur af beperkte het aantal gesprekken en in de jaren dat hij gezagvoerder was, was er een afstand tot de bemanningsleden die ieder vanzelfsprekend vond. Op het onderzoeksschip was dat anders geweest maar de gesprekken die hij toen voerde, gingen vooral over het onderzoek. Was het de niet verplichtende omgang met Schipper die iets bij hem losmaakte, was het het ontbreken van een rangorde? Hij had toegelaten dat Schipper hem corrigeerde –

daarmee was het begonnen. Hij had niet meer bij voorbaat gelijk. Hij moest in een ander zijn meerdere erkennen. Dat was nieuw voor hem.

'Je moet die schaaf op z'n zijkant wegleggen, dan beschadig je de beitel niet.' Schipper had hem geleerd hoe hij kwasten moest reinigen. Hoe hij een ratelschroevendraaier moest hanteren. Het was verbluffend vanzelfsprekend als je het eenmaal wist.

'Ik laat je niet lassen,' had Willem te horen gekregen. 'Daarvoor ga je maar een cursus doen.'

Was het dat hij handig was en diens raad opvolgde waardoor Schipper over andere zaken sprak dan alleen het werk dat ze onderhanden hadden?

'Onder platglas heb ik meloenen.'

'Wat bedoel je met platglas?'

Op Schippers uitleg volgde: 'Je bent wel een stadse meneer.'

'Waar had ik het op zee moeten leren?'

'Da's waar. Ik kan een paar maanden van de tuin eten. Aardappels, wortels, sla, uien, boontjes, aardbeien en ik heb een paar bessenstruiken: aalbessen en kruisbessen. Als ik te veel heb neem ik wel wat voor je mee. De worteltjes van je eigen tuin zijn veel zoeter dan die uit de super.'

'Is je tuin dan zo groot?'

'Achter het huis heb ik een strook grond zo lang als de loods.'

'Ik heb wel gezien dat het huis op de hoek aan deze kant een diepe tuin heeft.'

'Die hebben alle woningen. De ouwe Van Diepen was zo slim om de woningen op grote, lange percelen neer te zetten. De huizen kon hij goedkoper bouwen als hij een rij neerzette. Je wilt natuurlijk graag om je huis heen kunnen lopen; in plaats van de ruimte rondom had je die diepe tuin. Mijn vader heeft er vanaf het begin een moestuin van gemaakt. Ik weet nog dat mijn moeder boontjes weckte. Ik heb snijbonen gedraaid op zo'n molentje dat op de tafelrand werd vastgezet en m'n moeder deed de snippers dan in een Keulse pot. We hadden ook een kippenhok en ik moest het hok schoonmaken en de eieren rapen. Als mijn vader me wel eens meehielp deed hij die onder z'n pet en zei dan: "Niks tegen moe zeggen als ze er over klaagt dat je maar een paar eieren op het aanrecht legt".'

Willem dacht aan het huis in Vlaardingen waar achter het huis een plaatsje was met een schuurtje. Het ging vluchtig door hem heen dat hij ook wel zo'n vader had willen hebben met wie hij z'n moeder voor de gek hield. De vraag die hij stelde verdrong zijn verleden. 'Dus jouw ouders hebben hier altijd al gewoond?'

'Van Diepen liet de werf, de loods en de woningen in één keer bouwen. Mijn vader werkte toen al voor hem. Van Diepen heeft de beste arbeiders na de bouw gevraagd op de werf te komen werken en bood ze meteen een huis aan. Mijn vader had verkering en wilde trouwen. Nu ja, m'n ouders moesten trouwen. M'n moeder vond het maar niks op dit streekje. Ze kwam uit de Stad.'
'En ze zijn hier altijd gebleven?'
'Tot aan hun dood. En toen ben ik er blijven wonen.'
'Jij hebt hier dus altijd gewoond.'
Schipper beaamde het.
'Alleen?'
Schipper zweeg en Willem realiseerde zich dat hij op een terrein kwam dat Schipper wilde mijden.
'Ik ben nooit getrouwd geweest. Als je vaart...' Hij maakte de zin niet af, dacht aan de vrouwen die hij gekend had, begeerd had en verlaten had. Het was alsof een plotselinge vlam door hem heen schoot toen hij aan Comodoro dacht. Hij had gewild dat zij hem volgde en zij had geweigerd. Elvira. 'Je kunt niet alles hebben.'
Ze hadden hun werk hervat. Ze stonden op de steiger en zetten de kozijnen aan de lange kant tegen de dakrand in de verf. Systematisch waren ze de wand langs gegaan: eerst hadden ze gekrabd en geschuurd, in een volgende ronde gegrond en nu waren ze aan het aflakken. Ze trokken de steiger langs de wand om het volgende stuk te lakken tot ze op het eind elkaar aankeken en vrijwel gelijktijdig 'klaar' en ''t is beurd' zeiden. Ze waren met de potten verf en de kwasten naar beneden geklommen, hadden de potten gesloten en de kwasten in de terpentijn gezet.
Willem had Schipper betaald.
'Ik ben gescheiden. Mijn vrouw is er met de kinderen vandoor gegaan,'

zei Schipper, 'veertig jaar geleden.' Hij had zich omgedraaid en was vertrokken.

7

Daags daarop was hij niet geweest. Daarna kwam Schipper weer, hielp eerst mee de draaibank schoon te maken, waaraan Willem begonnen was, maar hij nam de leiding van hem over toen hij de bank weer wilde laten draaien. 'Ik heb vroeger aan die bank gestaan.'
'Misschien dat er in het kantoor nog een handleiding ligt?'
Er was een kast met ordners en dozen waarin hij niet had gekeken. Willem opende de kast en las de etiketten op de ruggen van de ordners. 'Boekhouding' van jaren, 'Personeel' en 'Projecten,' catalogi van leveranciers – geen handleidingen. Hij had gehoopt die over de draaibank te vinden. Hij stond besluiteloos voor de kast en stond op het punt die te sluiten toen hij de eerste van de ordners met 'Personeel' eruit trok. Wat hij zocht wist hij eigenlijk niet; het was meer het onbekende dat z'n nieuwsgierigheid wekte. Maar toen hij in de loonadministratie Schipper aantrof, aarzelde hij: wie gaf hem het recht in het verleden van Schipper te zoeken – al ging het maar om een loonstrookje – als die zelf terughoudend was daarover te vertellen?
Hij zette de ordner terug, pakte een ordner met 'Projecten' en las een opdrachtbevestiging voor de bouw van een sleepboot. Van een opduwertje realiseerde hij zich, want de lengtemaat was zes meter en het aantal pk's nog geen zestig. Hij dacht aan de duizenden pk's waarover hij het bevel gevoerd had en verloor zich even in het verleden, dacht aan de motorman die uitleg had gegeven aan hem en de leerling-scheepswerktuigkundige. Hij zuchtte, sloot de ordner, schoof hem tussen de andere en deed de kast dicht.

'Geen handboek,' zei hij toen hij in de loods terugkeerde.
Schipper keek hem aan. 'Je bleef wel erg lang weg.'
'Ik heb een opdrachtbevestiging zitten lezen. Van een opduwertje.'
'Hoe kwam je daarbij?'

'Zomaar.'

Willem voelde Schippers achterdocht.

'Ik moest denken aan de eerste keer dat ik op een sleepboot kwam.' Hij wist dat hij er niet aan ontkwam meer te vertellen om het ongenoegen dat hij voelde weg te nemen. 'Ik was helemaal gek op de zeeslepers die ik in Maassluis zag en ik wilde naar zee. Ik heb m'n ouders voor het blok gezet door aan te monsteren toen ik van de middelbare school kwam. Het was geweldig.'

Hij had niet verteld dat die eerste reis hem ook niet meegevallen was, maar hij merkte door wat hij vertelde over Maassluis en de zeesleepvaart, dat hij Schipper afleidde en in elk geval indruk op hem maakte. Over Vlaardingen, z'n ouders en de schooltijd had hij niets gezegd.

Daarna hadden ze gezwegen. Willem had een poetsdoek gepakt en begon het metaal van de draaibank op te wrijven en Schipper probeerde de instellingen van de draaibank te veranderen. Hij mopperde. 'Het zit hartstikke vast.'

'En kruipolie?'

'Ik weet het niet, ik vraag wel bij Wielema.'

Willem had vragend opgekeken.

'Het landbouwmechanisatiebedrijf.'

'Jij kent ook iedereen, hè?'

'Laten we er straks maar heen gaan. Moeten we de naam van de fabrikant van de bank ook noteren?'

Ze waren naar buiten gelopen en hadden even met hun ogen geknipperd tegen het licht dat het water voor hen weerkaatste. De populieren ruisten; het was stil en er was geen fietser op het fietspad te zien.

'Ik denk er aan om de buren uit te nodigen. Jij hebt me wel verteld wie er naast je wonen en ik heb sommigen ook al wel gegroet, maar ik heb geen kennis met ze gemaakt.

'Dat jonge stel, de Miedema's, zie je nooit; ze werken beiden in de stad, gaan 's morgens vroeg weg en komen 's avonds pas thuis. Ze hebben die stationcar.'

'Hoe lang wonen die hier?'

'Ze zijn een maand of drie voor jou gekomen. Zij is wel aardig; hij groet nooit. Ze hebben direct een schutting om hun tuin gezet.' En boos: 'Ik had daarover wel willen overleggen. Mijn groentetuin krijgt minder licht.'

Willem ging aan de boosheid van Schipper voorbij door naar de man naast dat stel te vragen.

'Steenbergen. Die ouwe Steenbergen is hartstikke doof. Als je wat wilt, moet je het op een papiertje schrijven. Hij kan wel wat praten maar zelfs ik versta hem niet altijd en dan wordt hij boos. Hij werkte ook op de werf. Hij heeft me geleerd hoe ik klinknagels moest slaan. Dat is lang geleden, verdomd lang geleden. Maar hij lust wel een borrel, dat wel. Hij komt vast als je hem vraagt.'

'En dat jonge stel?'

'Je kunt het proberen.'

'En de twee laatste woningen?'

'Die mensen ken ik niet. Op de hoek komt iemand uit het westen, een vrouw die ik maar één keer gezien heb; niet gesproken. Ze was toen met de makelaar en die heeft me later verteld dat ze gekocht heeft. En die andere woning is een weekendhuis; die mensen zijn er een paar weken in aan het werk geweest en daarna heb ik ze nauwelijks meer gezien.'

'Dat klinkt niet erg hoopvol. Ik probeer later nog wel eens een afspraak te maken.'

Van uitstel hoeft geen afstel te komen, dacht hij. Hij was nog niet helemaal klaar met de inrichting van het kantoor en de kantine, er viel nog veel op te ruimen – wat moest hij met die kantoorkast met ordners, de tekentafels? – en de loods was ook nog niet klaar. Pas dan kon hij denken over plannen met de werf zelf.

'Jij kunt natuurlijk wel een borrel komen halen? Of heb je nu al zin in een?'

Willem merkte dat Schipper aarzelde.

'Eentje dan maar.'

Hij had de fles en de glaasjes gehaald en ingeschonken.

Ze hadden elkaar toe geproost en zwijgend hun glas leeg gedronken.

'Dat je hier je hele leven hebt gewoond.'

Willem dacht aan Vlaardingen, IJmuiden, Comodoro en de havens waar hij was geweest. Nergens had hij willen blijven, zelfs niet in Comodoro. Pas hier had hij het gevoel dat het zijn plek was, een plek van geheel eigen keus. Zelfs IJmuiden was dat niet helemaal geweest; hij had niet veel verder van de Botlek af willen zitten.

'Ik weet niet anders; en nu, nu vind ik het wel goed.'

'Zal ik nog maar eentje inschenken?'

Schipper had hem zijn glaasje voorgehouden.

'Je had wel anders gewild?'

De vraag is te direct, dacht Willem en wachtte af.

'Ik had nooit bij m'n ouders moeten blijven,' en na een moment: 'met vrouw en kinderen bij hen moeten blijven.' Schipper dronk z'n glaasje in één teug leeg en zweeg. Willem wachtte, nam kleine teugjes, zweeg, keek Schipper nog een keer vragend aan. Die schudde z'n hoofd en Willem schroefde de dop op de fles.

Schipper begon op een toon te spreken alsof Willem het meeste dat hij zou gaan vertellen al wist.

'Ik zag Dina 's avonds op de meikermis in de stad. Zij was met een stel vriendinnen. Ik zat in de rups en die vriendinnen drukten haar bij mij op schoot, gierend van de lach. Ze kon niet meer terug want de rups begon te rijden. Ik weet nog steeds niet waarom ik in de rups zat; dat was helemaal geen vermaak voor een jonge jongen alleen. Ik zat daar met haar op schoot en de rups ging steeds sneller tot de huif over de wagentjes getrokken werd en we in het donker zaten. Ik kon niet van haar afblijven en ze verzette zich niet. We zaten netjes naast elkaar toen de huif teruggeslagen werd en toen de rups vaart minderde en tot stilstand kwam stapte ze niet uit. Haar vriendinnen joelden.

We bleven zitten en maakten nog een rondje. Toen we uitstapten waren de vriendinnen verdwenen en zijn we samen de kermis overgegaan. Ik heb haar naar huis gebracht; ze woonde ergens achter het Noorderstation, een verdomd eind.' Schipper grinnikte. 'Maar ik had verkering en toen moest ik lopend terug naar m'n fiets. In het holst van de nacht kwam ik hier terug en ik heb de volgende dag verteld dat ik verkering had. Mijn ouders vonden die verkering in de stad maar niks en ik had toch ook al zo'n beetje verkering in het dorp, zeiden ze. Maar die meid wilde niks en Dina wilde wel.'

Het was alsof Schipper schrok van wat hij allemaal verteld had.

'We moesten trouwen, hadden geen woning en Dina kwam bij mij en m'n ouders in huis. Dat lag het meest voor de hand omdat ik op de werf werkte.'

Schipper zweeg even.

'Je weet hoe groot de woningen zijn; we zaten te dicht op elkaar. Mijn ouders de pest in, Dina die naar de stad verlangde en ik zat er tussen. Het veranderde ook niet toen de eerste er was en ook niet na de tweede, die al snel kwam. Mijn vader ging dood, m'n moeder voelde zich in haar eigen huis niet meer de baas. We hebben het jaren volgehouden maar op een dag zei Dina: 'Ik vertrek' en ze vertrok met de kinderen naar de stad. Ik bleef bij m'n moeder achter en toen ze dood ging en ik vrij man was, kwam het er niet van te vertrekken. Ik had hier m'n werk. Ik had wel werk ergens op een werf aan het Winschoterdiep kunnen vinden maar dan had ik moeten verhuizen. Ik had daar geen zin meer in en toen ik ouder werd al helemaal niet meer.'

Schipper keek Willem aan.

'Nu weet je het. Je was het toch te weten gekomen; ze kletsen hier altijd.' Hij wees op z'n glaasje. 'Schenk me de laatste maar in.'

Ze hadden de derde genomen en toen de glaasjes leeg waren, zei Willem: 'Morgen maar naar Wielema.'

Hij had Schipper betaald en hem nagekeken toen deze de kade afliep.

8

Willem was na het vertrek van Schipper eerst blijven zitten. Hij aarzelde of hij nog een borrel zou nemen. Hij draaide het glaasje rond, hield het schuin en zag hoe het bodempje jenever traag het glas bedekte, als een stroop en langzaam terugvloeide naar de bodem toen hij het weer recht hield. Het kostte hem moeite zich geen glas meer in te schenken. Hij merkte de invloed van de drank toen hij opstond en zich weer bukte om de fles te pakken. Hij steunde even met de fles op de zitting van de stoel voor hij overeind kwam.

In de keuken zette hij de fles in de kast en de beide glaasjes in de gootsteen. Zoals z'n moeder deed, ging door hem heen, ineens verrast. Daarna kwamen de beelden van een visite, die hij verder niet kon thuisbrengen, waarbij de fles stevig aangesproken was. Voor het beeld van z'n moeder schoof dat van z'n vader die druk gebaarde, iets zei waarvan de woorden verloren waren gegaan.

Hij stond tegen het aanrecht geleund en slaagde er niet in de beelden weg te te houden. Zijn vader die schreeuwde en met de vuist op tafel sloeg. Zijn moeder die verschrikt opkeek en hem probeerde te kalmeren. Was er een ruzie en waarover ging die? Of had het met hem te maken? Was het een rapport, was het de mededeling dat hij aangemonsterd had, dat hij naar de zeevaartschool in Vlissingen wilde of was hij weer eens te laat thuis gekomen? Had z'n vader hem voorgehouden dat hij hen te schande maakte? Hij zag het zwilk op de eettafel en aan de randen daarvan zag hij de bovenlichamen van zijn ouders. Hij hield z'n ogen op de grond gericht zodat hij hun hoofden niet kon zien. Stond hij bij de tafel, er tegenaan leunend? Ineens voelde hij de koude rand van het aanrecht tegen z'n bovenbenen.

'Laat ik maar naar buiten gaan,' mompelde hij.

Hij voelde zich moe, voor het eerst na z'n vertrek uit IJmuiden. Hij was op de bank gaan zitten, had z'n benen voor zich uitgestrekt en leunde met z'n hoofd tegen de muur van de loods. De koelte van de steen deed hem goed. Hij maakte de bovenste knopen van z'n overhemd los en sloot z'n ogen. De beelden van z'n ouders keerden terug. Ze zaten weer aan tafel, maar op de tafel lag niet het zwilk maar een tafellaken en ze aten. Hij kon niet zien wat, zag alleen de gehaaste, haast driftige gebaren waarmee zijn vader de aardappelen prakte en zich daarna vooroverboog, met een elleboog op de tafel steunde en zat te schrokken, overeind kwam, een boer liet, waarbij zijn moeder naar hem keek, haast wat verschrikt de hap niet nam en in de beweging bleef steken.

Hij opende z'n ogen. De kade en het water leken ver weg, maar kwamen weer dichterbij en namen hun plek weer in. Er werd nooit gelachen thuis, dacht hij ineens. Hij keek naar de betonnen stelplaten voor zich, de ijzeren randen die niet geheel op elkaar aansloten en hij volgde de voeg tussen de platen voor hem, die niet helemaal recht was. Hij zag een plaat die vanuit het midden barsten vertoonde en verloor zich in de oorzaak. Daarna keek hij naar het water, zag de lucht erin weerspiegeld en keek omhoog.

'Hebt uw ouders lief als u zelve.' De tekst was in kruissteken geborduurd en ingelijst en hing in de woonkamer. Het was of de tekst zich tegen de lucht aftekende. De vermaning zei hem niets. Niets meer. Er moest toch een tijd geweest zijn dat hij van zijn ouders gehouden had. Maar wanneer had hij begrepen dat de omgang die voor liefde doorging, liefdeloos was? Dat de woorden die zij spraken een dekmantel waren voor het tegendeel?

God is liefde. Thuis en op school had het om het geloof gedraaid. Ze hebben me leren haten, dacht hij. Hij ging rechtop zitten, trok z'n benen in. Hij had zich thuis en op school verzet. Hij was er voor bestraft, meermalen en hij had de straf lijdzaam ondergaan tot er een grens was overschreden. Waren het spijbelen op school, het te laat komen thuis, zijn verzwijgen van wat hij buitenshuis uitvoerde en het onderpresteren op de middelbare school niet zijn manieren geweest zich te wreken? Wraak op geboden die eigenlijk verboden inhielden? Hij vroeg zich af of het genoegdoening had gebracht. In één geval zeker niet. Maar hij wilde daar niet aan denken. Hij had zichzelf verboden daaraan te denken en was er in geslaagd het te verdringen. Maar nu drong het zich onweerstaanbaar aan hem op. Had Jan Schipper met zijn Dina iets bij hem losgemaakt? Zijn Dina heette Hanna. In één keer knalde haar naam door z'n hoofd. Tegelijk met het opkomen van haar naam dwong hij zichzelf afstand van haar te nemen. Nee, geen Hanna nu. Hij wilde niet aan haar denken. Hij spande zich in om het verhaal dat Schipper hem over Dina verteld had aan te vullen met de passage die Schipper had overgeslagen: hij dwong zich te fantaseren. Schipper en Dina hadden een tweede rit in de rups gemaakt. Schipper schoof toen de huif zich over hen sloot en het licht uitging z'n hand onder haar rok. Dina liet het toe; ze spreidde haar benen zodat hij z'n hand in haar broekje kon schuiven, de warmte van haar schoot kon voelen en langzaam drong hij bij haar binnen. Hij vond haar mond, kuste haar. Zij opende haar mond en hij vond haar tong en hij kreeg een erectie die ongemakkelijk tegen zijn broek aanduwde. Vlak voor de huif zich opende, lieten ze elkaar los. Ze keken elkaar aan en gingen de kermis op; ze wisten toen al dat ze zich op de terugweg naar huis ergens zouden terugtrekken en zich aan de liefde zouden overgeven.

In de portiek van haar huis reden ze tegen elkaar op, putten elkaar uit en ze lieten elkaar pas los toen er iemand langsliep.

Hij schokte op z'n stoel. Het uitdoven van z'n fantasie was gevolgd door een zaadlozing, die hij wilde maar niet kon tegenhouden. Hij vloekte, stond op en ging naar binnen. Onder het wassen dacht hij niet meer aan Dina en evenmin aan Hanna. Zijn gedachten waren bij Elvira.

9

Schipper was met hem naar Wielema gereden. Ditmaal liet hij hem de boodschap niet alleen doen. Hij stapte ook uit de auto en liep achter Schipper aan. Er kwam hen een man tegemoet die 'Moi, Jan,' zei en hem opnam.

'Ik ben Bos.' Hij was naar voren gestapt en had z'n hand uitgestoken. Hij merkte dat dat ongewoon was.

'Wielema.'

Schipper had weer het woord genomen. 'Bos heeft de werf gekocht. Ik help hem zo nu en dan. In de loods staat een oude draaibank. Die zit vast; ik kan er geen beweging in krijgen.'

'En het handboek?'

Terecht dat Wielema die vraag stelde.

'Is er niet meer,' ging Schipper verder. 'We weten ook niet wie de fabrikant is.'

Wielema sprong op. 'Loop met me mee, ik kijk wel even op het internet.'

Willem was de beide mannen gevolgd. Had ik m'n computer nu maar geïnstalleerd, dacht hij, ik ben nog niet gewend aan de wal.

Terwijl Wielema op het internet zocht, keek Willem rond in het kantoor. Dit was wel een heel andere wereld dan die hij kende. Een trekker en een combine kon hij nog wel onderscheiden maar naar wat hij in de werkplaats zag kon hij alleen maar gissen.

Hij hoorde Wielema zeggen: 'Ik kom niet verder. Ik moet die bank eerst zien.'

Schipper keek hem vragend aan.

'Lijkt me goed.'

'Hoe bevalt het hier?' vroeg Wielema terwijl hij met hen naar buiten liep, 'het is wel wat anders dan op zee.'

'Dat kun je wel zeggen.' Willem dacht aan Schipper die natuurlijk met Wielema over hem, de nieuwe eigenaar van de werf, had gesproken.

'Goed,' zei hij, 'ik ben blij dat hij' – hij keek naar Schipper – 'meehelpt. De rotzooi was groter dan ik dacht.'

'Al plannen als de boel op orde is?'

Het hele dorp weet natuurlijk al lang dat ik gevaren heb, dat ik alleen ben en dat ik plannen met de werf heb, al zijn ze nog vaag.

'Ik denk aan hulp aan mensen die graag hun schip zelf onderhouden. Nee, geen bouw. De haven is groot genoeg voor een paar aanlegsteigers en voor wie z'n schip op het droge wil laten overwinteren is op de kade wel plek. Ik zie wel.'

'Mooi dat er weer wat gebeurt.' Wielema keek op de klok. 'Ik kan nu wel even komen.'

Hij hoorde Wielema met een monteur praten. 'Ik rijd wel achter jullie aan.'

Klonk het als een verwijt toen Schipper op het moment dat ze wegreden, zei: 'Dat had je mij ook wel mogen vertellen.'

Willem begreep dat Schipper in vertrouwen genomen had willen worden. Had die hem niet over z'n ex en kinderen verteld? Had hij dan ook iets over zichzelf moeten vertellen? Hij was daar nog niet aan toe. Nog niet, niet of nooit? In plaats van zich met die vragen bezig te houden, zei hij ontwijkend: 'Het zijn plannen, meer niet. Eerst maar eens zien hoe ver we de komende tijd komen.' Dat 'we' moest Schipper het gevoel geven dat hij betrokken werd en bleef bij de werf.

Willem hoefde niet weer de weg te vragen. Hij keek in de spiegel of Wielema hen volgde.

'Wat ben je van plan met het schip? Verkoop je het? Ik geloof niet dat het schip je interesseert.'

Willem lachte. 'Nee, het is geen zeesleper of tanker. Ik ben nog maar één keer aan boord geweest. Maar ik heb wel plannen.' Daarvan kon Wielema niet weten en Schipper zou het zeker op prijs stellen als eerste daarvan te horen. 'Ik denk dat ik het ga verhuren in de zomermaanden, als een soort vakantiehuisje,' hij wachtte even, 'als vakantieschip. Er zijn vast wel mensen die een paar weken op het water willen wonen. Wat vind je?'

Hij vroeg het bewust om Schipper opnieuw gunstig te stemmen en voor hem was er ook het vooruitzicht van werk, want het schip zag er verkommerd uit. 'Maar dan moet het wel opgeknapt worden.'

'Wat vind je?'

Willem wachtte op Schippers antwoord.

'Dat is niet zo gek.'

Wielema had de draaibank bekeken.

'Het is wel een heel oud model, maar hij ziet er nog wel goed uit.' Hij noteerde het nummer dat hij op de zijkant van de bank vond. 'Ik doe m'n best. Je hoort nog van me.'

Ze hadden Wielema nagekeken toen hij wegreed.

'Goeie kerel, Bos.'

'Ken je hem al lang?'

'Al als jongetje. Hij kwam wel eens met z'n vader op de werf. Die was smid en hielp wel eens mee. Ko en Kootje. En nu is Kootje Ko. Hij is naar de hts geweest en met een meisje van Bultman getrouwd.'

'Een meisje uit het dorp?'

'Van de noord.'

'Hoe bedoel je "van de noord"?'

'Die van de noord zijn, nou ja waren de arbeiders, de losse arbeiders, de bouwvakkers, de mensen in de bijstand. De Wielema's woonden op de zuid. En de jongens van de zuid hadden geen verkering met de meisjes van de noord. Omgekeerd ook niet trouwens. En Ko vrijde met Tineke Bultman van de noord en dat pikten de jongens van de noord niet.'

'Ik begrijp je niet.'

'Dat begrijp je ook niet als je hier niet vandaan komt. Als je de brug over gaat naar het dorp, is links de zuid, rechts de noord. Rechts woonden de arbeiders, links de boeren, de renteniers, de meesters en de juf van het schooltje, al bestaat dat al lang niet meer, net zo als de bakker die verdwenen is en de smederij van Wielema die verplaatst is. Op de zuid zetelden de mensen met geld, op de noord de mensen die het krap hadden. Op de noord staan de huizen dicht bij elkaar, vlak aan de straat met een moestuin achter de woningen. Op de zuid staan de huizen verspreid, met grote voortuinen en achtertuinen met tuinhuizen. De huizen op de zuid staan in de bomen, die op de noord niet. De auto's op de noord staan in de voortuinen van vroeger, die op de zuid op de opritten. Kijk maar als je er langs rijdt.'

Schipper grijnsde.

'Waarom lach je?'

'Op de noord woonden veel meer jongens en die paar jongens van de zuid konden niet tegen ze op. Dus toen bekend werd dat Ko wat met Tineke had, hebben ze hem op z'n sodemieter gegeven. De dokter moest er bij gehaald worden. De Wielema's zaten er mee. Die van de noord kwamen ook bij hem in de smederij, met een fiets, de kachel en zo. De ouwe Ko wilde geen aangifte doen. Kootje heeft toen de jongens van de hts erbij gehaald en wraak genomen. Kootje was voor de duvel niet bang. De politie moest er aan te pas komen. Nog een geluk dat Kootje stage ging lopen en een jaar uit het dorp verdween.'

Schipper zweeg.

'Het gekke was dat niemand een paar jaar later meer begreep dat het zo uit de hand was gelopen.'

'Wanneer was dat?'

'Ik praat over zo'n veertig jaar geleden.'

Willem herinnerde zich dat Dina Schipper in dezelfde tijd verlaten had.

'Deed jij mee?'

'Ik woonde aan het kanaal, met m'n moeder en nog met Dina en de kinderen.'

Willem wachtte tot Schipper verder ging.

'Ik was te oud voor de knokpartijen maar ik stond meer aan de kant van de noord dan van de zuid. Daar woonden de meeste van m'n kameraden. Die Tineke was een mooie meid en slim. Kootje wist wel wie hij wilde. Ze zijn een paar jaar later getrouwd, hebben een poos, ik weet niet meer waar, ik geloof ergens bij Utrecht gewoond, zijn terug-gekomen en hebben de zaak opgebouwd.'

Schipper stopte en Willem verloor zich in herinneringen.

10

Veertig jaar geleden. Hij zat op school in Vlissingen en een opkomende
anarchie werd de kop ingedrukt, maar nooit helemaal. Heerste er in
school nog orde en tucht, wat daar onderdrukt werd, ontlaadde zich
buiten school.

Achteraf bleek de school niet de kazerne waarin ze toen dachten te leven.
Net zo min als de revolutie die in Amsterdam leek uitgebroken een echte
revolutie was. Maar Vlissingen was wel veranderd, al was het een beetje.
Maar toch genoeg om een verschil tussen de eerste jaren en de laatste op
school te kunnen zien.

Hij was niet helemaal bleu toen hij aankwam, maar... De eerste foto die
van hem gemaakt was, in uniform, liet een slungelige jongen zien, die
het uniform iets te ruim zat. De pet die hij onder de arm geklemd hield,
onderstreepte het belang van dat moment, maar z'n hoofd had toch nog
wat van een jongenskoppie, met de paar jeugdpuistjes. Z'n haar was
gekortwiekt. 'Dat haar moet eraf,' was het eerste dat hij hoorde bij de
ontvangst op school, 'ga eerst maar naar de kapper' en op het opgegeven
adres had men wel raad geweten met zijn kapsel. Men knipte alleen het
model dat de school wenste. Hij had tegengesputterd. En er zich bij
neergelegd toen de kapper hem zei dat hij rustig kon gaan maar dat hij
terug zou komen en – dat werd nadrukkelijk genoemd – nog eens zou
moeten betalen. Geld had hij nauwelijks gehad. In Lerwick had de
kapitein hem nog geen veertien dagen eerder geld meegegeven voor de
terugreis naar Vlaardingen en dat had hij alleen maar kunnen
terugbetalen door er z'n ouders om te vragen. Die waren al niet blij
geweest met wat hij hen geleverd had en nu kwam dit nog boven op de
kosten die de school bij aanmelding in rekening had gebracht. En dan
nog de woorden over z'n haar. Hij had met z'n lange haar niet naar de
kapper gewild.

Hij had in zoverre geluk gehad dat hij niet intern was en in een kosthuis
zat. Niet dat het regime veel verschilde. De afspraken die op school
golden, golden ook daar. Je moest om kwart voor zeven opstaan, je at

een half uur later en om kwart voor acht liep je naar school. Daar begon de eerste les onverbiddelijk om acht uur en kwam je te laat, dan volgde corvee.

Die eerste maanden dacht hij vaak terug aan de vrije tijd die hij op de middelbare school had, waarin hij deed waar hij zin in had en z'n ouders steeds vaker was ontlopen. Hij had z'n huiswerk en hij liep daarna naar de Boulevard. Om tien uur moest hij thuis zijn. Wat was de vrijheid van soms nog geen halfuur waard en wat heette anoniem op straat als je in uniform was? Geld voor een pilsje had hij niet en het was nog een geluk dat hij niet rookte.

Onder de eerstejaars had hij al snel ontdekt wie de uitslovers waren en wie de kantjes eraf probeerden te lopen. De eersten ontkwamen niet aan de minachting van de meeste medeleerlingen, de laatsten kregen permanent aandacht van de leraren. Hij had een veilige positie daartussen gekozen, had altijd z'n huiswerk gemaakt, behaalde voldoende resultaten, met soms een uitschieter: hij was goed in wiskunde, natuurkunde en mechanica en wilde daarin ook wel uitblinken. De weekends in Vlissingen gingen voorbij met excursies naar werven, havens en scheepvaartmaatschappijen, lezingen en sport. Als ze roeiden kankerde hij nooit. Op het weer noch op een jaargenoot zou hij ooit schelden. Het lukte hem onopvallend z'n gang te gaan.

Ondertussen volgde hij wat er buiten de school gebeurde met een nauwelijks te onderdrukken nieuwsgierigheid. Het was of hij na de Abraham Kuyper Scholengemeenschap een inhaalslag maakte. In Vlaardingen had hij in de polder en langs de Maas gezworven. In Vlissingen klonk de echo van wat er in Amsterdam, Rotterdam en Den Haag gebeurde. Zijn ouders hadden hun afschuw uitgesproken over de studenten in Amsterdam, de popconcerten in het Kralingse Bos waar zedeloos gedanst werd en over een linkse regering waarin hun partij zat. Het was langs hem heen gegaan. Uit recalcitrantie en niet uit overtuiging zou hij hen hebben willen tegenspreken als niet de lusteloosheid hem tegengehouden had. Maar hier in Vlissingen, ver van het ouderlijk huis, voelde hij zich niet zozeer aangesproken door wat elders gebeurde dan wel opgewonden door de opstandigheid die hij proefde. Daar werd geleefd en had hij niet naar Vlissingen gewild om ook te leven?

Hij had reikhalzend naar de weekends met verlof uitgekeken. Hij snakte naar een paar dagen zonder toezicht. Het eerste weekend verlof in Vlaardingen was zo'n afknapper dat hij herhaling had uitgesteld.

Hij had een medestander gevonden in Harald, die vrijwel nooit naar z'n ouders ging. Niet dat ze van meet af aan met elkaar waren omgegaan. Hij had behoedzaam afgetast wat voor jongen Harald was. Hij was ouder, leek lak te hebben aan regels, irriteerde leraren door z'n onverstoorbaarheid, bleef beleefd, soms op het overdrevene af, luisterde minzaam als men hem aansprak. Hij schiep afstand, duidelijk afstand en trok een grens waar geen leraar of leerling overheen kwam.

Hij had Harald bewonderd, had gewild dat hij zich ook zo kon gedragen maar voorlopig verkoos hij de luwte om Harald te volgen in wat hij deed.

Een eerste verkenning had in de trein plaatsgevonden. Het was hun eerste verlof. Ze waren tegenover elkaar komen te zitten. Hij had afgewacht, haast bedeesd tot Harald het woord zou nemen. 'Sigaret?'

Hij had gezegd dat hij niet rookte. Harald had hem opmerkzaam aangekeken en 'Niet roken?' gezegd op een toon alsof hij je daarmee een brevet van onvermogen verstrekte. Zijn 'Ik heb het nooit geleerd' kwam hem toen hij het gezegd had belachelijk voor.

'Waar ga je heen?'

'Vlaardingen.' Toen pas had hij een vraag durven stellen.

'En jij?'

'Bilthoven.'

'Jij bent toch Willem Bos, hè?'

Dat Harald hem voluit noemde, had hem op de een of andere manier goed gedaan, al was het geen blijk van erkenning. Hij was herkend. Daarna was Harald gaan lezen. Hij was nieuwsgierig geweest naar wat hij las, maar durfde het niet te vragen. Met een 'see you' was Harald in Rozendaal uitgestapt. Hij had nog een glimp van Harald op het perron gezien, toen hij door een jonge vrouw werd gekust.

Op de terugreis hadden ze elkaar weer getroffen.

'En hoe was je weekend?'

'Klote,' had hij geantwoord. En voor hij er op bedacht was had hij gezegd: 'Ik kan niet met m'n ouders opschieten.'

'Je moet ze ook niet te vaak zien,' had Harald geantwoord, 'maar de mijne lopen me niet in de weg als ik er ben, als ze tenminste thuis zijn. Ik heb meer aan Katja.'

'Je vriendin?'

Hij had de mededeling als een opening willen gebruiken om verder te praten maar Harald had geknikt en gezwegen en toen hij bleef zwijgen had hij helemaal niet meer gedurfd door te vragen. Harald was gaan lezen. In Vlissingen waren ze uiteengegaan. Hij met een gevoel van spijt. Hij wist alleen dat Harald een ander boek dan op de heenreis had gelezen.

Harald had hem opgezocht op een middag na het laatste uur, toen hij op het punt gestaan had naar z'n kosthuis te vertrekken. Hij was direct ter zake geweest. 'Zou jij me met mechanica kunnen helpen?'

Hij was haast wat verbouwereerd geweest. 'Natuurlijk,' had hij geantwoord, 'ik moet alleen m'n hospita vragen.'

Harald had z'n wenkbrauwen even opgetrokken.

Ze hadden samen gestudeerd, het was niet bij die ene middag gebleven, ook in de avonduren was Harald langsgekomen en na de studie hadden ze op de Boulevard gelopen. Hij had de eerste avond de uitnodiging om een pilsje te drinken afgewezen en Harald had uit hem moeten trekken dat hij geen geld had. 'Jij de les, ik het bier,' en Harald had hem meegenomen.

In de kroeg leek Harald een ander te zijn dan op school. Hij gedroeg er zich met een vanzelfsprekendheid die hij zelf miste. Nu kon hij de tact waarderen waarmee Harald met hem omgegaan was. Destijds had hij zich opgelaten gevoeld maar Harald had hem op z'n gemak gesteld met een combinatie van vragen aan hem en mededelingen over zichzelf. Harald was op de hoogte van wat hem dreef en dwarszat en hij had nauwelijks z'n verbazing laten blijken over z'n afkeer van Vlaardingen en thuis en z'n bezetenheid naar zee te willen. Toen kenden ze elkaar al veel beter – hij Harald ook.

11

'In slaap gevallen?'
Schipper stond voor hem toen hij wakker werd. Willem verontschuldig-
de zich niet.
'Ik was even ver weg.'
'Dat kun je wel zeggen.'
'Wat maakt het uit? Morgen is er weer een dag.'
De gedachte aan Harald trok langzaam weg.
'Met de draaibank kunnen we voorlopig niet verder.'
Willem rekte zich uit, stond op, liep de kade op en kwam weer bij
Schipper terug.
'We zijn mooi opgeschoten. Zonder jouw hulp was het me trouwens ook
niet gelukt. De loods is vrijwel op orde. Als die draaibank weer klaar is,
kunnen we alle machines weer gebruiken als het nodig is.'
'Denk je aan een opdracht?'
'Zo ver ben ik eigenlijk nog niet. Ik woon wel in 't kantoor maar het is
me nog niet helemaal naar de zin. Ik mis een douche, ik heb een tv die
niet aangesloten is, m'n computer staat nog in de doos, 'Het is allemaal
niet zo belangrijk. Ik heb een auto en een mobieltje, daarmee kan ik wel
uit de voeten.'
Willem onderbrak zichzelf met: 'Ik heb Wielema m'n nummer niet
gegeven.'
'Die komt wel weer als hij meer weet.'
Meer hardop in zichzelf denkend dan dat hij zich tot Schipper richtte:
'Als hier op de werf mensen aan het werk willen, dan moet er wel een
plek zijn waar koffie gedronken kan worden, waar ze naar een wc
kunnen en hun handen kunnen wassen, waar het warm is in de herfst en
het voorjaar. De kantine heb ik zelf in gebruik, maar in de loods is daar
wel ruimte genoeg voor. Met een raam en een deur zou je die ruimte ook
apart van de loods kunnen gebruiken. Niet iedereen is daarin aan het
werk, denk ik. Mensen willen elkaar ook wel ontmoeten. En als ik het
schip verhuur, is zo'n voorziening ook handig. Wat denk je, Schipper,

moet ik daarvoor naar de gemeente voor een bouwvergunning?'

'Zal ik eens voor je informeren? Ik ken wel iemand op het gemeentehuis.'

'Dat zou mooi zijn. Heb je nog wel zin om hier aan 't werk te blijven?'
Willem wist dat de vraag overbodig was. Schipper had plezier in z'n
werk en hij werd er voor betaald.

'Ik heb anders toch niet veel om handen.'

'En dan is het schip er natuurlijk ook nog.'

Ze keken beide naar het schip.

'Ik ben er nog maar een enkele keer op geweest,' zei Willem, 'het schip is
verwaarloosd. Maar wat belangrijker is, is of hetgeen onder de waterlijn
zit, gaaf is. Hier kan het de werf niet op, daarvoor is het te groot.'

'Van Diepen heeft het wel een keer in het dok gehad. Maar ik weet niet
meer in welk jaar. Nadat z'n woning is afgebrand, geloof ik.'

Willem liep naar het schip en Schipper volgde hem. De brede loopplank
boog door toen hij er op liep. De dwarshouten die de planken bijeen-
hielden waren afgerond. Het touw tussen de ijzeren staken was verweerd
en vuil. Hij constateerde dat de huid van het schip niet gebutst was. Op
het dek keek hij rond. De verf was gedeeltelijk afgebladderd en het
metaal was donkerbruin van de roest. Het teakhout van de stuurhut was
grijs uitgeslagen; hij zag geen rot. Er zat een scheur in een ruit.
Willem wenkte Schipper. 'Misschien is het een idee het schip samen te
inspecteren?'

Ze waren over de boorden geschuifeld. Willem had zich zo nu en dan
gebogen om steun aan de luiken te vinden. Het zeildoek dat over
sommige nog aanwezig was, moest vervangen worden. Hij ging zitten op
het laatste luik bij de voorplecht. Schipper schoof naar hem toe.

Voor het eerst keek Willem bewust naar de kade en de loods voor hem.
Dat de huizen links haaks op de loods en de kade stonden was nu goed
te zien. Van de bomen achter de loods viel hem nu pas op hoe groot ze
waren. De hemel boven hem die hij altijd in het water weerspiegeld had
gezien, had een andere kleur – donkerder.

Ineens overviel hem heimwee. Als hij voer, was er geen tijd om de brug
te verlaten en naar de plecht te gaan en zeker bij slecht weer deed je dat
niet. Je kon amper overeind blijven en de kans dat je doorweekt werd
was groot. Alleen als je in een haven lag, had hij er graag gestaan en

uitgekeken. Havens waren gelijk en verschillend. Soms had je uitzicht op zee, soms op een stad, altijd op havenwerken. Er was altijd wel iemand die dezelfde behoefte aan rust had en daar ook was komen staan. Hij had alleen gegroet maar nooit een woord gewisseld.

Willem zei niets en Schipper ook niet. Willem keek rond. Hij liet z'n ogen dwalen over de kade, de loods, de bomen erachter en toen naar links, naar de woningen, zoals wanneer hij vroeger op de plecht stond. Hij liet de blik op de ankerkettingkast rusten. Ineens grinnikte hij.

'Waar moet je om lachen?' vroeg Schipper.

'Ik heb op m'n allereerste zeereis een hut gehad, gedeeld met een leerling-scheepswerktuigkundige. Die hut lag tegen de ankerkettingkast. Dat hebben we geweten. Als je geen wacht had en je lag in je kooi en het anker werd gevierd, schrok je je lam. Wist ik veel toen ik de hut kreeg. Waar wij nu zitten, zat je vlak op de kluisgaten. Zullen we naar beneden gaan?'

De roef was opgeruimd, al lag er stof. Een kalender was half gebruikt; de voorste bladzijden waren omgekruld. Willem pakte het stuurwiel aan, keek op het kompas, nam het bedieningspaneel op. Zou de motor nog starten? Er kwam geen geluid.

'Dus hier heeft Van Diepen gewoond?'

Ze stonden in de roef. Het licht viel door patrijspoorten in beide wanden zodat het niet donker was. Willems ogen wenden aan het schemerlicht. De tijd had stil gestaan. Het was nauwelijks voor te stellen dat in deze ruimte gewoond was. Als hij het schip zou willen verhuren dan moest hij het ruim erbij betrekken. Hij probeerde zich een voorstelling van een andere indeling te maken. Waar ze stonden de keuken, dan een woonkamer en dan voor in het schip twee hutten. De bedstede in de roef zou kunnen blijven.

'Zie je dat Van Diepen nog op een petroleumstel kookte?'

'Had hij geen elektra? Ik ben blij dat ik in de kantine en het kantoor ben getrokken. Hier kun je je kont niet keren. Schipper, denk je dat die scheidingswand naar het ruim te verwijderen is?'

'Dat kunnen we het beste in het ruim bekijken.'

Ze waren weer aan dek gegaan, hadden gezocht naar een luik dat zich liet openen. Terwijl hij de luiken langs ging, was Schipper al naar de loods om gereedschap te halen. Hij kwam terug met een bahco, een moker en een breekijzer. Nadat hij tevergeefs had geprobeerd met de bahco de sluiting los te schroeven, had hij het breekijzer erop gezet. Hij vloekte en sloeg het breekijzer met de moker tegen de sluiting, die losknapte.

'Nu de volgende nog.'

Hij had het breekijzer opnieuw tussen het luik en de opbouw gezet en verbrak ook die sluiting. Nog een keer gebruikte hij het gereedschap om het luik te lichten. Met hun beide handen tilden ze het luik omhoog en legden het opzij. Ze keken in het donkere gat.

'Ik haal nog wel een ladder.'

Willem keek in het gat en probeerde de diepte van het ruim te schatten. Wat als het niet manshoog was?

Het ruim was royaal geweest en manshoog tot z'n opluchting. Willem had de lengte en de breedte afgemeten door stappen te nemen.

'Groot genoeg om te vertimmeren tot salon en hutten?'

Schipper had geknikt.

'Lijkt het jou wat?' had hij weer aan dek aan Schipper gevraagd.

'Een mooi karwei.'

'Dus jij hebt er wel zin in?'

'Als jij het geld er voor hebt.'

Willem proefde er terughoudendheid in.

'Zeg het maar als je er geen zin in hebt.'

'Nee, nee,' haastte Schipper zich. 'Maar ik moet wel een goeie tekening hebben.'

'Daar zorg ik wel voor.'

Schipper had hem wat spottend aangekeken. 'Als ik nou eens een tekenaar vraag.'

'Wie ken jij ook niet, hè?'

Schipper had gegrinnikt.

12

Hij zat graag op een stoel tegen de muur naast de schuifdeur van de loods. Schipper was al naar huis. Willem was binnen geweest maar had geen aanstalten gemaakt om eten klaar te maken. Hij had een stoel gepakt en was naar buiten gegaan. Hij keek naar het schip. Met Schipper had hij overlegd waar het eerst mee te beginnen. Zijn handen jeukten om in het ruim te beginnen. Schipper had een tekenaar gevonden aan wie hij zijn plannen had voorgelegd. Hij had de tekeningen ontvangen en op de tekentafels vastgeklemd. Er was méér nodig voor je kon beginnen. Schipper had hem er al voorzichtig op voorbereid.

'De loods is geen timmermanswerkplaats.'

'Hoe bedoel je.'

'Voor houtbewerking heb ik ander gereedschap nodig en andere machines. In de loods is het meeste alleen voor metaalbewerking geschikt.'

Het waren niet de kosten geweest waarom hij Schippers oordeel was gevolgd.

'Nu is het nog zomer en kun je buiten werken. In het najaar kunnen we dan wel in het ruim aan de slag.'

Hij keek naar het schip. Het begon er op te lijken. Ze hadden de dekzeilen weggehaald en op de kade verbrand. De milieupolitie was langs geweest en had hem een waarschuwing geven.

'Waar bent u in godsnaam mee bezig, meneer?'

Hij had zich verontschuldigd, gevraagd naar de vuilstort, wat hij Schipper ook had kunnen vragen en geïnformeerd naar wat verder niet toegestaan was. Schipper had zich eerst afzijdig gehouden, maar was een praatje begonnen. In het dialect; het meeste was hem ontgaan.

Na hun vertrek had Jan gezegd: 'Je mag van geluk spreken dat ze je geen prent hebben gegeven.'

'Prent?'

'Bekeuring.'

'Jij bent onbetaalbaar.'

Schipper had gegrijnsd.

De stuurhut glansde in de laklaag. Het mahoniehout had weer z'n oorspronkelijke kleur. Het had moeite gekost de grijze uitslag weg te krabben en te schuren maar het was gelukt. De kapotte ruit was vervangen. De mast was geschraapt en ook in de lak gezet.

Willem keek naar z'n handen. Het vuil onder z'n nagels kon hij niet wegkrijgen. Het grootste karwei buiten zat er bijna op. De reling en alles van metaal daarbinnen, het dek, de opbouw en de luiken, waren schoon gekrabd, soms gebikt en stonden in de menie. Het rollen van de deklaag was het laatste.

Hij voelde zich voldaan. Voldaan dat het werk vorderde en ook omdat Schipper hem gezegd had dat het hem niet tegengevallen was dat hij zo handig was. Schipper was niet scheutig met lof en die uitspraak was al heel wat.

Hij schoof de stoel wat naar voren en helde daarna achterover. Z'n voeten kwamen los van de grond. Wat onderuitgezakt voelde hij zich zo behaaglijk dat hij even de ogen sloot.

De auto die de kade opdraaide voorkwam dat hij wegdoezelde. Hij zat ineens rechtop. De auto stopte een paar meter voor hem.

Wielema stapte uit en Willem liep naar hem toe. 'Ik dacht al...'

'Nee, die draaibank was ik niet vergeten. Jan had er ook al naar gevraagd.'

'Ik haal een stoel voor je.'

Wielema ging naast hem zitten.

'Druk?' vroeg Willem.

'Hartstikke druk gehad, ik kwam haast om in het werk. De boeren halen het koren van het land. Als er wat met een combine is, moet ik er heen. Zelf ben ik ook loondorser, ik zit op m'n eigen combine en word ingehuurd. Maar ja, ik moet het wel van deze tijd hebben.'

Wielema keek rond, zag het schip, floot even. 'Dat is wel even wat anders. Van Diepen deed er geen flikker aan. Die liet de boel de boel. Dan gaat zo'n schip snel achteruit. Mooi dat je het aanpakt.'

'Wat wil je drinken.'

'Niks. Ik heb net gegeten.'

Hij bood Willem een sigaret aan.

'Nee, dank je, ik rook niet.'

'Mag ik...?'

'Je gaat je gang maar, maar dan wel buiten.'

'Het is een mooie plek hier. Ik kwam hier vaak als kind.' Wielema keek rond. 'Ik heb er nog aan gedacht de loods te kopen maar Tineke wilde niet.' En daarna: 'Ik durfde de investering ook niet aan. En we zitten goed waar we zitten.'

Ze zwegen. Wielema rookte z'n sigaret op, gooide de peuk op de grond en trapte hem uit.

'Ik heb een werkplaatshandboek voor de draaibank besteld. Als ik dat heb, kom ik de bank wel bekijken.'

'Er is geen haast mee. Ik heb straks eerder machines voor hout nodig. Ik heb het met Schipper gehad over een afkortzaag, een zaagbank, een vandiktebank en nog wat gereedschap. Misschien dat jij me dat kunt leveren?'

'Alles kan, handel is handel.' Wielema lachte.

'Dan kom ik wel bij je. Of Schipper komt.'

'Jan is weer helemaal de oude. Hij begon te chagrijnen en dan heeft hij ook nog die dove Steenbergen naast de deur en aan dat nieuwe stel heeft hij helemaal niks. Een geluk dat hij weer aan het werk is. 't Is een vakman, je kunt veel aan hem overlaten.'

'Ik bof met hem. Hij is er bijna elke dag.'

'Typisch Jan. Ik heb hem een paar jaar geleden gevraagd of hij bij mij aan het werk wilde maar hij wilde geen vast werk; hij wilde z'n eigen gang gaan. Altijd al.'

'Hij is toch getrouwd geweest? Dan pas je je toch aan?'

'Heeft Jan je dat zelf verteld?' Wielema klonk verbaasd. 'De mensen aan het kanaal die bij Van Diepen werkten, stonden een beetje buiten het dorp. De Schippers hielden zich wat afzijdig; ze hoorden bij de mensen van de noord, maar ook weer niet. Wielema stopte even.

'Daar weet ik van,' zei Willem.

'Toen Jan alleen was, zag je hem niet zo vaak in z'n vrije tijd. Hij ging de hort op. Hij is wel eens door de politie thuis gebracht. Wat hij uitgehaald had, wisten we niet. Hij zou naar een vrouw gaan.'

'Hij heeft z'n vrouw en kinderen nooit weer gezien?'

'Nee. Ik heb die Dina nog wel gekend, de jongen en het meisje ook. Het is zo'n veertig jaar geleden. Ik kan ze me niet goed meer voor de geest halen. Ik ging al naar de middelbare school of misschien zat ik net op de hts en zij gingen nog naar de lagere school. Van die Dina vertelden m'n ouders dat ze vaker in de stad dan hier was.'

Wielema zweeg daarna, haast abrupt. Even later vroeg hij: 'Jij hebt gevaren, hè?'

'Dat heb je van Schipper.'

Wielema lachte. 'In het dorp gaat zoiets snel rond.'

'Dat geloof ik graag.'

Toen hij afscheid nam, zag Willem het litteken op het voorhoofd van Wielema. Hij wees er op. 'Dat krijg je als je vecht met de noord.'

'Hoe weet jij dat?'

'Wat dacht je?' had Willem geantwoord. 'In het dorp gaat zoiets snel rond.'

Wielema leek even van z'n stuk en schoot toen in de lach. 'Ik kom wel weer langs met het werkplaatshandboek.' Hij was weggereden en had z'n hand nog even opgestoken.

Willem bracht z'n stoel naar binnen. 'Nu moet ik me maar wat eten klaarmaken,' mompelde hij. Terwijl hij bij de magnetron stond te wachten tot de lasagne warm was, dacht hij aan het gesprek met Wielema. Hij was bekend in het dorp. En was hij niet al een beetje geaccepteerd? Hij wist niet meer wanneer hij voor het eerst het gevoel had gehad geaccepteerd te zijn. Thuis niet, niet op school. Tot hij op de zeevaartschool Harald leerde kennen. Harald had hem geaccepteerd.

13

Na de bijles mechanica bleven Harald en hij elkaar opzoeken. Niet in school, in of tussen de lesuren wanneer ze van lokaal wisselden. Hun vriendschap was voor buiten school. De hospita was aan de komst van Harald gewend geraakt. Ze studeerden samen. Als de studie erop zat, bleven ze doorgaans niet thuis. Dan liepen ze over de Boulevard of zochten een café op.

Harald nam altijd snel de krant door. 'Moet je horen,' en dan las hij Willem een stukje voor.

'De politiek interesseert me niet,' antwoordde deze.

'Aan jou heb ik ook niks,' foeterde Harald. 'Ajax wint van Feyenoord.'

'En?'

'In Vlaardingen ben je toch voor Feyenoord?'
Het ging verder over popgroepen, boeken – 'Maar lees jij dan niet?' –
concerten...
'Nee, ik ben nog nooit in Paradiso geweest en Hermans ken ik niet.'
Langzamerhand leerden ze elkaar steeds beter kennen. Beiden waren in
het begin terughoudend geweest over hun privéleven. Willem had zich
de mindere gevoeld en de opmerkingen van Harald waren wel eens
laatdunkend: 'Verdomme, je woonde bij Rotterdam en je ging niet naar
de concerten in het Kralingse Bos.'
Wat had hij moeten zeggen? Dat hij het geld er niet voor had, dat hij van
zijn ouders niet mocht, dat de tv uitgezet werd als een popprogramma
aangekondigd werd, dat hij wegliep als zij iets mooi vonden wat hem
niet aanstond, dat hij net zo lief op de fiets de polder in reed en dat hij
vogels keek?
Hij had tegen Harald opgezien en hij mocht dan wel uitblinken in de
wiskundevakken en hem helpen, hij had toch het gevoel dat ze totaal
verschillend waren, ook toen ze elkaar al langer kenden.

Hij was nieuwsgierig geweest naar Katja maar voor hij naar haar durfde
informeren vertelde Harald hem al het nodige. Natuurlijk was hij
nieuwsgierig geweest naar Bilthoven, maar rechtstreeks vragen stellen
was wat anders.
Nu wist hij dat het de oudere was die het voordeel had van meer
ervaring. Hij had zich laten gaan als Harald provoceerde. Het was een
manier geweest om hem uit te horen. Allengs had hij zich vrijer gevoeld
en gedacht: als jij me iets vraagt kan ik jou ook zoiets vragen.
Hij had het vervelend gevonden dat Harald altijd zijn verteringen
betaalde. 'Je moet erover ophouden, Willem, weet je wat bijles kost? Ik
wil je er niet meer over horen.'
Hij had erover gezwegen.
'Waar denk je aan?'
Hij had niet geantwoord, hij kreeg niet over z'n lippen dat het voor hem
toch vernederend was. In plaats daarvan antwoordde hij: 'Waar haal je
het geld vandaan?'
Harald had even opgekeken. 'Wat dacht je? Van m'n ouders. Die zijn

allang blij dat ik ze niet voor de voeten loop. Ik was al drie jaar de deur uit en dat beviel geweldig. Ik studeerde rechten in Amsterdam, een fantastische tijd maar de studie vlotte niet en toen ze thuis door kregen dat ik nog niet verder was dan het eerste jaar, was mijn vader des duivels: Je kunt kiezen of delen. Je zoekt maar werk of je gaat naar Vlissingen. Hoezo Vlissingen?, vroeg ik verbouwereerd. Hij zei: je opa heeft gevaren en dat heeft van hem een kerel gemaakt; dat zegt hij nog altijd. Voor die opa heb ik respect. Hij heeft me er vaak over verteld. Werken leek me helemaal niks. Nou ja, varen was echt niet wat ik zou uitkiezen maar nog vier jaar uit huis was wel aanlokkelijk. Als ik m'n studietoelage houd. M'n moeder was helemaal opgelucht, vloog me om de hals. Voor m'n vader ging het te gemakkelijk maar hij kon niet anders dan toestemmen. En Vlissingen, nou ja Vlissingen, godsamme liefhebben, is natuurlijk geen Amsterdam en Katja zou ik niet vaak meer kunnen neuken...'

Willem schrok op.

'Pardon, zien.'

Wat had hem weerhouden over Katja door te vragen? In plaats daarvan zei hij, wat teleurgesteld: 'Dus varen vind je maar niks?'

'Ik zie wel,' had Harald gezegd, 'm'n moeder heeft er al op gezinspeeld welke relaties m'n opa heeft.'

Hij had zich niet ingehouden.

'Terwijl ik het straks van m'n cijferlijst bij het diploma moet hebben en maar moet afwachten waar ik terecht kom, gebruik jij relaties.'

'Het is ongelijk verdeeld in de wereld, Willem, ik zei niet dat ik relaties had, m'n moeder. Het persoonlijke is politiek maar jou interesseert de politiek nog steeds niet, hè?'

'Drie jaar rechten? En nog geen jaar gehaald?' Willem kon er niet bij, al had hij zichzelf nooit bijster ingespannen. 'Drie jaar.'

'Ik kwam in Amsterdam in de zomer van '68. In Parijs was de revolutie begonnen. In Amsterdam heb ik actie gevoerd, in een kraakpand gewoond en aan m'n ouders heb ik verteld wat ze graag wilden horen. Natuurlijk was mijn vader razend toen duidelijk werd dat ik niets presteerde. Ik had daar wel begrip voor.'

Willem had Haralds ouders ontmoet. Harald had hem uitgenodigd.

'Vinden jouw ouders dat zo maar goed?'

'Meld jij je nu maar af bij je ouders.'

In Vlissingen waren ze in dezelfde trein gestapt, maar onafhankelijk van elkaar. Vanaf Rotterdam hadden ze samen gereisd. Willem had al wel een indruk van Haralds ouders maar was nieuwsgierig; tegelijkertijd zag hij tegen de ontmoeting op. Ze hadden in de trein niet veel met elkaar gesproken. Harald had een boek gepakt. Willem had vragend gekeken en hem het boek laten zien. Hermans – Willem Frederik Hermans. Hij moest denken aan de boeken die Harald eerder in de trein gelezen had. In Utrecht waren ze overgestapt.

Afgezien van de reizen van Vlaardingen naar Vlissingen en terug had hij alleen in Engeland met de trein gereisd. In eigen land niet en hij had zich opeens weer de mindere gevoeld van Harald die als vanzelfsprekend had zitten lezen. Hij benijdde hem niet om het boek, hij was geen lezer, wel om de vanzelfsprekendheid waarmee hij in de wereld thuis was. En nu moest hij de onbekende wereld van diens ouders nog betreden. Hij zag er tegen op.

Harald had hem op de schouders geslagen: 'Op naar de ouwelui, als ze er tenminste zijn.'

Willem had vragend gekeken, hij was in de veronderstelling dat dat het geval was.

'De auto's staan er,' had Harald gezegd. 'Ze zijn beide thuis.'

Willem had om zich heen gekeken. De oprit langs een breed gazon eindigde naast een voordeur met een afdak. Grote bomen stonden aan weerszijden van het huis. Midden in het gazon stond een vlaggenmast met een roodwitblauwe en een geelblauwe wimpel. Het huis had twee verdiepingen met een groot balkon boven de erker. In het dak zaten brede dakkapellen. Harald floot schel.

De voordeur was opengegaan en een grote hond was tegen hen opgesprongen. 'Hier Xeno, kom hier!' De hond draaide zich om. 'Braaf.' Voor hem zag hij een vrouw in spijkerbroek met daarboven en erover een blouse die meer dan de aanzet van de borsten liet zien toen ze zich een beetje vooroverboog en haar hand toestak. 'Willem? – Je hebt hem dus wel weten mee te nemen?'

'Willem Bos, mevrouw.'

'Is Sander niet thuis? Ik zag beide auto's.'

'Margarete.' Ze streek met een ruk het lange hoogblonde haar aan een kant achter haar oor. 'Ga weg, Xeno, ga weg. Je vader staat te telefoneren. Moet je mij niet begroeten?' Ze strekte haar armen uit naar Harald, trok hem naar zich toe, sloeg haar armen om hem heen en kuste hem. Ze hield hem daarna op een afstand, nam hem op: 'Die Katja weet wel wie ze wil.'

'Marg, toe.' En tot Willem: 'Ik hoop niet dat jij zo'n moeder hebt.'

Hij was overdonderd door de hond, de vrouw, de manier waarop Harald en z'n moeder met elkaar omgingen.

'Geef me je jas en je weekendtas.'

Willem had ze aan Harald meegegeven en kreeg toen pas een indruk van de hal waarin hij stond, de trapopgang naar boven, een openstaande deur die zicht gaf op een lichte kamer. Hij bleef besluiteloos staan.

'Jullie zullen wel wat willen drinken?'

Hij had geaarzeld. 'Thee?'

Er was even verbazing geweest. Harald was teruggekomen. 'Pils voor jou?' Margareta was weggelopen. Harald en Willem waren naar de kamer gegaan en naast elkaar op de bank gaan zitten. Harald strekte z'n armen over de rugleuning. Weer voelde Willem zich overdonderd. 'Je had me ook wel wat meer mogen vertellen, zeg.' Harald grijnsde.

'Ik zet de theepot voor je op tafel. Pils voor jou. Zoutjes, cakes en biscuits; je neemt maar. Waar blijft Sander nou? Ik roep hem. Dat gesprek heeft nu wel lang genoeg geduurd.'

Willem kon zich niet voorstellen dat hij zelf zulke ouders zou hebben.

'Excuus, excuus,' hij rekte de u's, 'schenk je mij een port in, dear.'

Willem was overeind gekomen.

'Blijf zitten, kerel. Sander. Sander en Marg, de ouders van Harald. Goed jullie te zien.'

Haralds vader was een imposante man, kort van stuk, met brede schouders en een buik die over z'n broekriem heen dreigde te gaan. Hij had de manchetten van z'n overhemd omgeslagen en de bovenste knopen waren los. Z'n gezicht was breed en z'n haar kortgeknipt. Hij keek de jongens nieuwsgierig aan. 'Dus jij probeert onze Harald aan het studeren te houden. Dat werd ook wel tijd.'

'Sander, moet dat nou. Ik heb Willem al lang verteld dat ik het in
Amsterdam verprutst heb.'
'Rustig maar, rustig maar. Waar is Katja?'
'Voor haar studie met jaargenoten op bezoek bij een of andere
penitentiaire inrichting.'
'Jammer. En nu vervangt Willem...'
'Laten we het over wat anders hebben, Sander.'

Harald en hij zaten op Haralds kamer, Xeno lag voor hen op de grond,
met de kop op z'n voorpoten. Hij kwispelde met z'n staart. Met z'n
drieën hadden ze een lang eind gewandeld en toen ze terugkwamen,
stond er nog maar één auto op de oprit.
'Mooi, ze zijn weg. Dat gezeur.'
Willem bewonderde Harald heimelijk om de vrijheid waarmee hij z'n
ouders tegemoet trad. Dat ze elkaar bij de voornaam noemden,
tutoyeerden – het was overrompelend.
'Ik was er niet op voorbereid dat je vader me zo op de man af vragen
zou stellen.'
'Je bent wel voor het examen geslaagd, hoor. Maar goed dat ik je vooraf
niet verteld heb hoe je ontvangen zou worden. Marg die Sander provo-
ceert met haar aandacht voor jou en Sander die jou de maat neemt. Het
is precies omgekeerd als Katja hier is. Sander slooft zich voor Katja uit en
Marg probeert haar te kleineren. Ik vind het wel vermakelijk. Katja
trouwens niet.'
'Ik kan me haar reactie wel voorstellen. Ik voelde me wel aangepakt.
Alsof ik me moest verdedigen.'
'Ach, Marg neemt het sowieso voor je op en Sander heeft je openhartigheid wel gewaardeerd. Hij vindt het mooi dat je mijn politieke
opvattingen niet deelt. Heeft hij eindelijk een medestander. Hij hoopt
natuurlijk dat ik door jou blijf studeren maar ook dat jij me tegenspreekt
als ik over politiek begin.'
'Ik had niets over thuis moeten vertellen.'
'Ze waarderen dat alleen maar. Ze vinden het kleurig, exotisch, zo'n
gereformeerd milieu. Denk niet dat ze het interesseert dat jij je de dupe
voelt.'

Willem had verrast opgekeken. 'Jij bent de eerste die me dat zegt.'
Die erkenning had de vriendschap voor hem bezegeld.
Al het andere over dat weekend dat hij zich herinnerde, was daaraan
ondergeschikt. Zoals het moment de volgende ochtend dat Haralds
moeder in haar slipje de badkamer was ingelopen waar hij zich na het
douchen stond af te drogen, de schaterende lach waarmee Harald zich
bij hen had gevoegd om haar daarna om haar autosleutels te vragen.
'Je bent een rotzak,' had ze gezegd.
'Maar toch wel een lieve rotzak,' had hij gezegd, waarna ze was
vertrokken.
'Ouders,' had Harald tegen hem gezegd, 'je moet ze in de gaten houden.
Sander flikte me hetzelfde met Katja.'
Na het ontbijt had Marg de autosleutels aan Harald gegeven.
'Maar Marg,' had Sander gezegd, 'ik dacht dat hij...'
'We nemen Xeno mee.'
Toen ze wegreden had Harald alleen maar gezegd: 'Verdeel en heers.'
Ze waren naar de Hoge Veluwe geweest. Harald had over Marg en Sander
verteld. 'Voor de buitenwereld vormen we een gaaf gezin met een
aanstaande schoondochter. Ik denk vooral aan een appel die van binnen
verrot is. Ik weet niet of jouw en mijn ouders zoveel verschillen.'
Van latere bezoeken kon Willem zich nauwelijks meer iets herinneren.
Dit eerste bezoek bleef hem altijd bij.

14

Willem vroeg zich af waarom hij vroeger toen hij voer vrijwel nooit aan
het verleden dacht en nu wel. Er waren toen wel ogenblikken dat hij het
heden kwijtraakte. Niet op de brug met mensen om zich heen, maar op
de plecht als ze stillagen voor onderzoek bij kalme zee of in een haven.
Dan kon hij, zoals hij dat zelf noemde leeglopen. Hij wist niet of het te
maken had met de kunst je te kunnen ontspannen. Hij had niet het
gevoel dat het iets was dat hij weloverwogen deed. Hij was altijd wat
verbaasd geweest als hij zichzelf weer terugvond op de voorplecht.
Kwam dat door het gareel waarin alles een vaste plaats had? De wachten,

overleggen en afspraken, die steeds weer terugkeerden en waarop jezelf geen invloed uitoefende? Het had iets mechanisch: het leven ondergebracht in een rooster met vaste punten. Het onverwachte was uitgebannen. Daarbij maakte het niet veel uit hoe het weer op zee was. Weersveranderingen aanvaardde je. Waar een ander, een buitenstaander, het leven op zee misschien zwaar zou noemen, was het voor Willem routine. Bij alles wat je deed waren emoties uitgesloten, bij hem althans. Dat moest hem wel ontoegankelijk gemaakt hebben voor de rest van de bemanning. Het was de onverstoorbaarheid waarmee hij omging met problemen. Hij hield z'n hoofd koel. Hij vond zelf dat dat niet geforceerd was. Het was z'n natuurlijke gedrag. Daar moest wel een kern van iets zitten dat zich nu naar boven werkte. Hij kon gemakkelijk over verdringing spreken, als hij van zichzelf ervan overtuigd was dat het te maken had met iets dat pijnlijk was. Pijn sleet door het steeds weer te ondergaan, wist hij. Hij vroeg zich af of hij aan herhaling onderworpen was geweest of er zichzelf aan had onderworpen. Hij vroeg zichzelf zelfs af of pijn alleen de beweegreden was van verdringing.

Het wegvallen van dat rooster met vaste punten, dat alles op z'n plaats gehouden had, was nu weg, was door de gewijzigde omstandigheden waarin hij verkeerde een net geworden waardoor niet zoals vroeger alles vastgehouden werd maar het liet ook door wat vrijelijk naar boven wilde komen – niet door een prikkel van binnen gedreven maar van buiten gestimuleerd. Hij verdedigde daarmee wel z'n onverstoorbaarheid en afwezigheid van emoties, maar die waren er ook. Er waren ook gebeurtenissen die hij pijnlijk zou moeten noemen, die hij niet onder controle had en die diep van binnen kwamen.

De herinnering aan dat eerste weekend bij Haralds ouders was opgeweld toen hij voor de magnetron stond om z'n lasagne op te warmen en was onder het eten vervluchtigd. Hij dacht aan het werk dat gedaan was en gedaan moest worden. De buitenkant van het schip was nagenoeg klaar. Het werk in het ruim kon beginnen, al was het nu ook mogelijk in de loods te gaan verbouwen. Hij aarzelde. Schipper had een betere kijk op het werk dan hij en hij zou hem nu de volgorde van de komende werkzaamheden kunnen voorleggen.

Willem was naar buiten gegaan. Iedere keer als hij uit de loods naar buiten stapte werd hij verrast door het licht dat het water weerkaatste. Haast automatisch beschutte hij z'n ogen. Hij liep naar de rand van de kade. De boeg van het schip stak boven hem uit. Het schip had een andere betekenis voor hem gekregen. Door eraan te werken had hij het leren kennen. Hij had het eerst nauwelijks als z'n bezit beschouwd. Nu zou hij het niet over z'n hart kunnen verkrijgen het van de hand te doen. Dat een schip iets eigens kon worden had hij ook gevoeld als hij na een verlof terugkeerde, over de reling streek en het stuurwiel weer vastpakte. Het was nog vroeg in de avond en stil. De stilte werd benadrukt door het suizen van de wind en de ruisende populieren. De zon raakte de toppen van de bomen; ze lichtten op. Hij wendde zich af van het licht, liep terug naar de loods en sloot de deur.

Wat zou hij doen? Hij stak de kade over en hield stil bij het kanaal. Aan de overzijde lagen de weilanden, wat verder naar rechts de achtertuinen met de rand bomen van de zuid. De huizen waren verscholen. Hij zag het voor het eerst bewust. Hij zakte niet weg in vergetelheid. Het water voor hem stond in een ander licht dan hij op de kade gewend was. Het was minder schel, al was de beweging ervan groter. Het groen had verschillende kleuren. Het dijkje aan de overkant van het kanaal was lichter groen dan de weilanden daarachter; de bomen waren weer donkerder. Z'n blik ging naar rechts, naar de brug. Had hij niet eerder gezien dat het een draaibrug was en geen klapbrug? Dukdalven markeerden de plek waar de open brug tegenaan kwam te liggen. Er fietste iemand over de brug; de afstand was te groot om te onderscheiden of het een volwassene of een kind, een man of een vrouw was. Iemand met een bestemming.
Hij moest zich omdraaien om de weg te zien, met daaraan het rijtje huizen. De gevels waren gelijk. Op de begane grond een klein raampje, de voordeur en een groot raam. In de punt van de zolderverdieping een raam. Alleen van het onbewoonde hoekhuis dat het minst veraf was, kon hij de indeling van de ramen goed zien. Beneden in het grote raam een smaller raam met een bovenlicht. Het zolderraam had ook een bovenlicht. Op het eind van de rij woonde Schipper. Daarnaast het jonge stel

en dan kwamen Sterenberg, het weekendhuis en het huis van de onbekende vrouw.

Langzaam liep hij over de weg langs het kanaal. Hij had nog niemand uitgenodigd. Met Sterenberg had hij proberen te praten toen deze op de werf kwam en Schipper had hem daarbij geholpen. Tegen het jonge stel had hij nog maar één keer z'n hand opgestoken toen hij er langs reed en ze in het voortuintje bezig waren, Schipper zag hij vier, vijf keer in de week. Hij keek niet naar binnen, wilde niet naar binnen kijken toen hij langs de huizen liep. Hij wilde doorlopen naar de brug en dan de weg nemen die de noord en de zuid scheidde. Hij was daar met de auto langs gereden naar het dorp en had niet meer dan een indruk gekregen. Schippers verhaal had z'n nieuwsgierigheid gewekt.

Zo ver kwam hij niet. Schipper was naar buiten gekomen.

'Waar ga jij heen?'

De vraag was zo rechtstreeks dat Willem verrast was. Schipper merkte het en trok zich terug met: 'Dat moet je ook zelf weten.'

Willem kwam Schipper tegemoet met: 'Jij had me over de noord en de zuid verteld en ik wilde gaan kijken.'

'O, ja. Ja.'

'Als je zin hebt mee op te lopen, krijg ik er ook nog uitleg bij.'

Schipper aarzelde. 'Een andere keer.'

'Mooi. Dan loop ik door.'

Willem stond op de brug, keek naar beide kanten uit. Hij was verrast aan de noordkant een parkeerplaats te zien met een picknickplek en een aanlegsteiger. Toen hij doorliep, koos hij de linkerkant van de weg om naar de huizen op de noord te kijken. Buiten het dorp draaide hij en koos de andere kant. Het was zoals Schipper hem had verteld. Het verschil tussen beide kanten was groot maar het was minder schrijnend dan hij had verwacht. Kwam dat door de auto's op de noord en doordat de huizen er goed onderhouden uitzagen? Van de voortuinen waren allemaal parkeerplaatsen gemaakt. Al zag hij geen mensen, het was een nabije wereld. Op de zuid was verder weg. Hij was onder de indruk van de grootte van de huizen voor zover hij ze kon zien, verscholen als ze waren in de bomen. Wat z'n tochtje niet zichtbaar maakte was waarom Ko Wielema had moeten vechten om z'n vriendin. Schipper had mee moeten gaan, dacht Willem.

Op de brug zag hij dat bij Schipper het licht in de kamer brandde. Toen hij op het punt stond het huis voorbij te lopen, ging de voordeur open en riep Schipper hem. 'Ik heb koffie.'

Kon hij weigeren? Het was de eerste keer dat Schipper hem in z'n huis uitnodigde. En dan weigeren? 'Graag.'

Dit was niet de Schipper die hij kende. Overdag liep hij altijd in een donkerblauwe overall en droeg hij klompen. Hier droeg hij een donkerblauwe trui met een rits boven een donkerbruine ribfluwelen broek en liep hij op sloffen. Het meest opmerkelijk was de bril met een randloos montuur.

In het halletje passeerde hij de wc en de trapopgang. Voor zich zag hij de keuken, maar links daarvoor had Schipper hem gevraagd binnen te komen. In de kamer had hij rondgekeken toen Schipper naar de keuken ging. Er waren vroeger twee kamers geweest naar de deuren te oordelen. Hij probeerde de oppervlakte te schatten. Vijfendertig vierkante meter? Veertig? En daarin had Schipper niet alleen met z'n ouders maar ook met vrouw en twee kinderen gewoond?

Het interieur kwam hem bekend voor. Zijn ogen gleden over het dressoir tegen de wand, het kleed dat erop lag, de tv in de hoek, een salontafel met een tapijtje in het midden, met daarop een boek opengeslagen met de rug naar boven, twee stoelen met balpoten, een staande asbak en een schemerlamp met franje naast een boekenkastje. En ineens zag hij de woonkamer in zijn ouderlijk huis. Vlaardingen – hij sloot even de ogen. Hoe was het mogelijk. Het kostte hem moeite terug te keren.

'Je hebt het mooi voor elkaar, Schipper.'

Schipper zette de kopjes op de salontafel. 'Melk? Suiker?'

'Beide graag. Waar had je me gedacht?'

Schipper wees op een van de stoelen. 'Ik heb geen voorkeur.'

'Dat ik bij jou koffie drink! Het is het laatste waaraan ik gedacht zou hebben toen ik van huis ging.'

Willem keek rond, over de eerste verbazing heen. Hij zag het boek op tafel en vroeg: 'Wat lees je?'

'Van Schendel, De waterman.'

Het zei Willem niets. 'Ik wist niet dat je las.'

'Ik laat me adviseren door iemand in de bibliotheek.'

Willem verbaasde zich.

'Een aardige vrouw.'

Hij keek rond met z'n kopje in de hand. Langzaam drong tot hem door dat Schipper een eigen leven leidde. Hij zag foto's op het dressoir. Hij onderdrukte de neiging op te staan en ze te bekijken.

'Een mooie kamer.'

'Ik heb verbouwd na mijn moeders dood. Ik had liever een grote kamer dan twee kleine – hoe heet dat ook alweer: en suite.'

'Zeker alles zelf gedaan?'

Schipper knikte, gestreeld door de erkenning.

'Handige kerel ben je. Dat je hier met vijf mensen hebt gewoond.'

'Zes.'

'Ja, natuurlijk. Ik dacht niet aan je vader; dacht dat die al overleden was.'

'Hij was wel de eerste die dood ging. Daarna zijn Dina en de kinderen vertrokken en toen ging moe dood.'

'Dat is ook zo. Je had het me verteld.' Willems nieuwsgierigheid won het van z'n verwondering. 'Zijn dat ze?' en hij wees op de foto's op het dressoir. Schipper knikte.

'Mag ik eens kijken?' Schipper knikte weer. Willem stond op en liep naar het dressoir.

Het oudere echtpaar waren waarschijnlijk Schippers ouders. Willem draaide zich om naar Schipper: 'Je ouders?'

'Pa en moe toen ze vijfentwintig jaar getrouwd waren.'

Op de andere foto zag hij een jonge vrouw met twee kinderen. De vrouw was niet uitgesproken mooi maar wel aantrekkelijk. Felle ogen. Haar haar krulde een beetje. Ze had volle lippen. Ze keek met een wat spottend lachje. De kinderen naast haar keken afwachtend, een beetje gespannen.

'Dina?'

'Met Onne en Joke.'

'Een mooi stel.' Het ontkwam hem.

Schipper schraapte z'n keel. 'Toen nog wel. Later kwamen de ruzies. Verdomme, wat een klerewijf was ze.'

Ze zwegen. Het ging door Willem heen dat hij voor het eerst de namen van de beide kinderen hoorde. Onne en Joke. Hij proefde de bitterheid in Schippers stem, hoe die over z'n ex oordeelde.

'En toen verdween ze van de ene op de andere dag. Dat leek een opluchting maar was het niet. Ik miste Onne en Joke verschrikkelijk.' Hij zweeg, slikte. 'Dina ook. Ik hield van haar, ook toen nog, al schold ze me verrot. Ik was een klootzak, hield geen rekening met haar. Het was allemaal waar wat ze me verweet, al vond ik haar oneerlijk tegenover moe, die alles van haar moest verdragen. Toen ze vertrokken was, was ik nog altijd gek op haar. Vanaf de dag op de kermis.' En weer onderbrak Schipper zichzelf.

Willem stond ongemakkelijk voor het dressoir. Hij hoorde Schipper diep ademhalen en daarna hoorde hij Schippers schorre stem. 'Tot vandaag de dag. Gek, hè?'

Willem hield de adem in. 'Je hebt nooit geprobeerd haar weer te zien?'

Schipper stond abrupt op. 'Ik haal koffie.'

Willem ging zitten.

Toen Schipper met de koffie terugkwam zei hij haast meer tegen zichzelf dan tegen Willem: 'Waarom vertel ik dit allemaal?'

'Je hoeft me niks te vertellen, Schipper.'

Schipper haalde z'n schouders op. Het was een gebaar van machteloosheid, alsof hij niet kon stoppen met spreken. 'Ze kwam niet terug. Niet na een paar dagen en niet na een paar weken. De maanden gingen voorbij en ze kwam niet. Ik heb me godsgruwelijk op haar verkeken. Eerst wilde ik haar niet zien, toen dacht ik 'dan niet' en daarna 'waarom blijf je weg?' Ik werd er gek van en toen ik na maanden haar en Onne en Joke wilde zien, zei ze: 'Nu ben je te laat.'

Ik bezwoer haar dat ik nog steeds van haar hield en de kinderen niet kon missen. Dat ik met moe gepraat had. Dat ik kon begrijpen dat ze de stilte aan het kanaal niet verdroeg. Dat ik haar niet zou tegenhouden als ze een dag naar de stad wilde. Ze was bij haar ouders. Ik stond in de portiek voor hun voordeur en ze liet me niet binnen. 'Maar je kunt me toch de kinderen laten zien,' vroeg ik, maar ze was onverbiddelijk. Toen ik naar binnen wilde gaan, begon ze te schreeuwen. Haar moeder kwam erbij en toen hebben ze me samen de deur uit gewerkt. Dat was de laatste keer dat ik haar gezien heb.'

Willem zag dat Schipper nog ontdaan was. Zelf had hij conflicten onder de bemanning opgelost, dat was vanzelfsprekend geweest. Hij kon het zich als kapitein niet veroorloven dat er tijdens de vaart problemen waren – om wat voor reden dan ook. Het was nooit om het belang van het individu gegaan, altijd om dat van het schip. Hier ging het om Schipper en was er geen schip als excuus. Hij voelde zich machteloos. 'Godsamme.'

Willem dronk z'n koffie op en vertrok. Bijna ruggelings ging hij de deur uit.

Pas thuis dacht hij: 'Ik ben tekortgeschoten.' Met 'Godsamme' kwam je niet verder. Hij wist niet wat hij anders had moeten zeggen.

15

Schipper was de beide dagen daarna niet op de werf geweest. Willem was niet ongerust, wel onzeker, of eigenlijk was het ingewikkelder hoe hij zich voelde. Door z'n onzekerheid werd hij ongerust en dat maakte hem weer onzeker. Dat stopte toen Schipper weer verscheen.

'Ik miste je al,' had Willem gezegd en Schipper had hem, het leek wat laatdunkend, aangekeken. Willem had er geen aandacht aan willen besteden maar bleef er wel aan denken. Schipper had weinig behoefte gehad om te praten en Willem had daarom nergens naar gevraagd.

Ze zouden in het ruim aan het werk. De eerste drie luiken vanaf de boeg hadden ze opzij gelegd. Het daglicht stroomde naar binnen. Het schip lag niet horizontaal en Willem had zich niet gerealiseerd dat aan het leggen van een vloer het plaatsen van ballast vooraf ging. Had Schipper hem opnieuw laatdunkend aangekeken toen hij hem hierop had geattendeerd?

Hij had op de tekening gewezen. De uitgevlakte vloer stond duidelijk aangegeven.

Schipper had het initiatief genomen en de werkzaamheden opgesomd. Eerst het bosje dat woekerde op de resten van de directeurswoning omgraven om bakstenen te verzamelen, daarna cement en zand halen en dan het ruim met ballast vullen om de vloer waterpas te maken. Het werk viel Willem tegen maar hij wilde niet toegeven dat het hem zwaar viel. Hij was blij geweest om met Schipper naar de aannemer te kunnen gaan voor cement en zand. In een kruiwagen hadden ze daarna stenen naar de kade gereden en in emmers laten zakken. Hij had ze beneden opgevangen en tussen de voorste spanten gevlijd. Hij deed het lichtste werk maar voelde de vermoeidheid. Schipper maakte de specie op de kade aan en liet die met de emmer zakken en Willem schudde de emmer leeg over de stenen.

Eén kuub stenen, twee kuub? Een ton waterverplaatsing, nog een ton? Hoe lang moesten ze doorgaan? Schipper had aangegeven tot waar ze zouden gaan met het vullen met ballast. Willem liet aan Jan de leiding over. Hij bewonderde de praktische benadering van Schipper, die een waterpas op een lange balk op de bodem legde. Hij had geknikt toen Schipper zei dat er voldoende ballast was. Willem was aan dek gegaan. Hij wilde wel eens zien hoeveel de steven nu dieper stak. Op de kade kon hij op het eerste gezicht nauwelijks verschil zien. De rand op de scheepswand die verkleurd was op de grens van het wateroppervlak lag onder water. Hoe ver was nauwelijks te zien.

Willem was weer naar het ruim afgedaald. Schipper stond tegen de wand geleund en rookte. Hij rookte over de longen, de rook steeg langzaam op en trok weg door de opening boven hen.

'Het schip steekt nauwelijks dieper.'

'Ik verwachtte niet anders.'

'Hoe lang duurt het voor we een vloer kunnen leggen?'

'Een dag of twee.'

'En in de tussentijd? Waar kunnen we mee door?'

Langzaam was het gesprek op gang gekomen. Ze hadden de tekeningen erbij genomen.

'Achter kunnen we beginnen met het isoleren van de wanden.'

Willem mat de wanden op en Schipper controleerde de maten op de tekening.

'Laten we in de loods uitrekenen wat we nodig hebben.'

Ze hadden naast elkaar aan de werktafel gestaan.

'Staande balken.'

'Liggende balken.'

'Vloerdelen.'

'Wandplaten.'

'Isolatiemateriaal.'

De een noemde de delen, de ander nam de maten en samen rekenden ze.

'We gaan zeker weer naar die aannemer?'

De tekeningen namen ze mee. In de auto had hij gevraagd: 'Kunnen we alles zelf doen, Schipper? Elektra, water, sanitair? We zouden die aannemer kunnen vragen.'

'Het gaat je wel geld kosten.'

'Dat moet dan maar.'

Willem zinspeelde er niet op dat het uitbesteden van dat werk Schipper misschien ook wel goed uitkwam.

'Het schiet wel op.'

De aannemer had alle materiaal afgeleverd en was bij Willem binnengelopen. 'Ik heb de offerte van de installateur.'

'Geef me een dag om er naar te kijken.'

'Mooie plek hier, Bos.'

'Dat zei Wielema ook al.'

'Ja, die had wel zin gehad hierheen te gaan.'

'Koffie?'

'Dat sla ik niet af. Ja, Kootje wilde wel, maar Tineke, hè?'

'Jullie kennen elkaar?'

'Samen op school gezeten.'

Willem wist dat hij er niet aan zou ontkomen over zichzelf te spreken.

'Je komt uit IJmuiden, heb ik gehoord.'

IJmuiden was heel ver weg. Willem knikte, reageerde niet direct.

'Ik had er een huis. Alleen was ik er niet vaak. Alleen als ik verlof had. Ik voer.'

'Heb je lang gevaren?'

'Bijna vijfendertig jaar. Nou ja, drieëndertig om precies te zijn; ik heb een poos in Argentinië gewoond.'

Hij was blij geweest over Argentinië te kunnen vertellen maar toen de aannemer vertrokken was ging door hem heen dat hij bij elk bezoek iets meer van zichzelf zou prijsgeven als hij niet oplette.

Willem had de offerte bekeken en was er mee naar Schipper gegaan. Die was verbaasd hem voor de deur te zien. 'Ik heb de offerte van de aannemer. Ik heb gezegd dat ik morgen zou antwoorden. Ik wil graag dat jij er naar kijkt.'

'Kom binnen.'

Hij zat voor de tweede keer bij Schipper in huis. Schipper zat tegenover hem en mompelde wat terwijl hij de offerte doorlas. Willem keek vluchtig naar de foto's en probeerde daarna de titels van de boeken in de boekenkast te lezen. De titels die hij kon lezen zeiden hem niets. Hij verbaasde zich over het aantal. Toen viel hem in dat hij zelf geen boeken had gehad en dat hij zich van de lijst die hij had moeten lezen op school niets meer herinnerde. Het maakte wat daar stond des te bijzonderder.

'Ik heb het doorgenomen.'

'En?'

'Echt goed kan ik het niet beoordelen maar het lijkt me redelijk en Luitjens is betrouwbaar. Hij heeft een goede naam.'

'Dus maar doen, denk je?'

Schipper knikte.

'Bedankt. Dan ga ik maar.'

Maar nog terwijl hij zat ging hij door met: 'Na m'n bezoek de vorige keer had ik een onvoldaan gevoel. Ik had me wel anders tegenover je kunnen gedragen. Maar ik wist me met wat je me verteld had eigenlijk geen raad. En dat is eigenlijk nog zo. Ik voelde...,' hij aarzelde wat hij zou zeggen, 'je verdriet maar wist niet wat ik moest zeggen. Dat je je vrouw en kinderen niet weer hebt gezien, overviel me. Ik vond het zo hardvochtig. Het was toch zo dat je ze niet weer hebt gezien?'

Willem merkte de aarzeling bij Schipper. Die legde de offerte weg en probeerde zich te ontspannen terwijl hij achterover leunde. Na een ogenblik van stilte waarin hij wat in elkaar zakte, leek z'n stem vanuit de verte te komen. 'Ik heb het nog wel geprobeerd. De tweede keer dat ik ze opzocht werd er niet opengedaan en de derde keer wees m'n schoon-moeder me de deur. Ik heb geschreven, niet één keer, verschillende keren, maar heb geen antwoord gekregen. Behalve een kaartje: 'Het heeft geen zin te schrijven.'

'Ik ben op zaterdagen naar de Stad gegaan, heb in de straat naar ze

uitgekeken. Op een woensdag heb ik vrij genomen om langs de school te gaan waarop ik dacht dat de kinderen zaten. Als ze 's middags vrij waren had ik ze wat langer kunnen zien. Maar op die school zaten ze niet. Ik heb een onderwijzeres aangesproken. Ik heb bij de buren naar ze gevraagd. Ik hoorde alleen dat Dina met de kinderen vertrokken was. Ze wisten niet waarheen. Moe heeft het ook nog geprobeerd. Het had geen zin. Toen de scheiding uitgesproken werd, heeft ze me zo veel mogelijk gemeden. Ik zat daar en wist niet hoe ik het had.' Het leek of hij gromde. 'Ik kon m'n ogen niet van haar afhouden. Zij keek de andere kant op en wilde me niet zien. Er was geen afscheid. Ze liep weg en ik keek haar na. Godverdomme, dacht ik, wat ben je een stommeling geweest. Zo'n verdomd aantrekkelijke meid. Jaren later hoorde ik dat ze verhuisd waren. Ik weet niet waarheen. Toen moe stierf kwam er een kaartje. Op de envelop kon ik het poststempel niet lezen. Iemand heeft me verteld dat Dina de moedermavo had gedaan en dat ze op een kantoor werkte.'
'En de kinderen?'
'Die werden haar toegewezen. Ik heb nog jaren voor ze betaald. Ik weet alleen dat ze beide gestudeerd hebben.'
'Zij hebben je ook nooit opgezocht?'
Zijn 'nee' was kortaf.
'Ik waardeer dat je me het vertelt.'
'Wat koop ik er voor.'
Willem had niet op dat antwoord gerekend. Hij wachtte even en zei: 'Niks, helemaal niks. Niks meer dan belangstelling.'
Hij overwoog of dit het moment was om te vertellen wie hij verlaten had. Hij zei plomp: 'Ik heb m'n ouders niet weer gezien na m'n drieëntwintigste; ik ben niet op hun begrafenissen geweest. Ik weet niet of ik er wel heengegaan zou zijn als ik aan wal was geweest. Ik denk het niet. Ze hielden niet van me en ik heb ze soms gehaat. Nu niet meer. Nu denk ik: het moest zo lopen. Het heeft geen zin het anders te wensen. Je hebt het niet voor het kiezen. Dingen overkomen je. Hij dacht aan Hanna, Katja en Elvira.
'Je bent niet weer getrouwd?'
'Nee. Jij?'
'Ik ben nooit getrouwd. Ik ga weer.'

Willem pakte de offerte. 'Ik zeg Luitjens dat het akkoord is. Zie ik je morgen?'

16

Ze hadden geprobeerd met z'n drieën te werken. Willem, Schipper en Hidde. Hidde was gestuurd door Luitjens en was een magere, boomlange vent die kon praten terwijl hij een sjekkie rookte. De peuk hing aan z'n onderlip en ging uit als Hidde lang van stof was. Willem merkte al snel dat twee handlangers één te veel was.

'Ik laat het werk aan jullie over,' en om zich te verontschuldigen voegde hij er aan toe: 'Ik ben ook de minst handige.'

De vloerdelen waren in het midden gelegd; de randen waren open gebleven om leidingen eronder te kunnen wegwerken en de frames van de wanden waren geplaatst. Hidde legde daarin nu de leidingen aan en Schipper hielp hem daarbij.

Schipper en Hidde spraken dialect met elkaar en meer dan de helft ontging Willem. Eerst had hij zich ingespannen hen te volgen maar toen hij te veel moest navragen, liet hij het erbij zitten. Hidde was een voetballiefhebber en kon maar niet begrijpen dat Willem geen belangstelling had. Zelfs nadat Schipper hem twee keer verteld had dat Willem een groot deel van zijn leven gevaren had, bleef hij vol onbegrip. Volgens hem moest elke kerel van voetballen houden. Willem vermeed het onderwerp, wat moeilijk was omdat Hidde elk weekend voetbalwedstrijden bezocht. Hij veranderde niet van onderwerp. De keer dat Willem had gevraagd wat diens vrouw er van vond, had Schipper hem aangestoten en de vinger op de mond gelegd.

'Ik heb geen vrouw,' had Hidde kortaf gezegd.

Willem was er niet op doorgegaan en had gevraagd: 'Voetbal je zelf ook?'

'Nee, dat doe ik niet meer, maar ik tref de jongens van m'n oude elftal nog wel elke vrijdagavond in het café.'

Het onverwachte nietsdoen zorgde voor een leegte. Niet dat er geen ander werk was. In de loods moest nog een deel afgescheiden worden en het woongedeelte was nog niet naar z'n zin. Ook al had hij dat gewild, hij kon er niet mee aan de slag. Er waren nog maar vage plannen en niets stond op papier.

Hij had z'n overall uitgetrokken en gekeken naar wat hij zou aantrekken. In de kast hing z'n uniform. In IJmuiden had hij het al niet meer gedragen. Hij nam het uit de kast. Een dun laagje stof lag op de schouders van de jas. Hij nam hem van het knaapje, klopte het stof eraf en toen hij de jas wilde terughangen zag hij dat de broek niet goed opgehangen was. Hij moest ook nog een tropenuniform hebben. Maar waar dat hing?

Hij zou die uniformen nooit weer dragen, toch kon hij er niet toe komen ze weg te gooien. Hij rommelde wat in de kast, besluiteloos wat hij aan zou trekken. Het enige dat hij wel besloten had, was deze dag niet op de werf door te brengen. Hij wilde er uit, maar waarheen?

Hij wekte verbazing bij Schipper toen hij in donkerblauwe broek, overhemd en windjack op het dek stond en naar beneden riep dat hij vertrok. Diens vraag 'Ga je naar de Stad?' beantwoordde hij niet. Schipper haalde z'n schouders op en Willem vertrok.

Hij reed de kade af, maakte de bocht naar rechts en wachtte bij de brug. Hij keek twijfelend naar links en rechts. Hij besloot naar Luitjens te rijden om met hem over de verbouwingen te praten. Hij nam langzaam de bocht naar rechts, schakelde op, maar bleef in z'n drie rijden. Er waren geen tegenliggers en hij werd niet ingehaald. Bij deze snelheid kon hij rustig rondkijken. Was hij zo druk geweest dat hij niet gemerkt had dat de zomer voorbijging en de herfst naderde? De bomen links en rechts van de weg verkleurden. Op de akkers links zag hij stoppels. In de verte ploegde een boer. Hij minderde vaart, zette de auto half in de berm en stapte uit. Tegen de deur geleund keek hij uit over de weiden. Op de sloot voor hem kwam een sloot uit die tot in de verte doorliep. De eenden die naar hem toe zwommen, hielden halt. Het kroos sloot zich achter hen en brak het groen in grillige vlakken. Hij voelde de wind, streek door z'n haar. Ik zou ook naar een kapper moeten. Hij zag de schaduw van de wolken over de weide opschuiven tot die hem bereikte, hij voelde de overgang naar koudere lucht tot de zon weer doorbrak en de weide in helder licht zette. Een groene zee. Even zonk hij weg tot hij weer tot zichzelf kwam, haast schrok omdat hij niet op de plecht stond. Hij moest denken aan de uniformen. Hij had geen besef hoe lang hij daar had gestaan. Hij liep om de auto heen en stapte in.

Luitjens was verrast hem te zien. 'Er is toch niks mis?'
'Nee, nee, Hidde en Schipper zijn aan het werk. Ik loop ze alleen maar voor de voeten.'
'Hidde heeft me net gebeld. Hij heeft niet alle materiaal; ik breng het hem straks wel. 't Schiet op, niet?'
Willem beaamde het.
'Hidde is een prima vakman maar hij heeft wel een gebruiksaanwijzing.'
'Je bedoelt dat geouwehoer over het voetballen?' vroeg Willem.
'Daar ben ik wel aan gewend. Alleen verdraagt die jongen geen kritiek en dat is wel eens lastig.'
'Schipper vangt hem wel op.'
'Dat die nog aan het werk wilde. Wielema heeft hem gevraagd, ik ben bij hem geweest en hij wees elk aanbod van de hand.'
'Bij mij komt hij wanneer hij wil en dat bevalt hem. Voorlopig heb ik nog wel werk. En daarvoor kom ik ook hier. Ik wil in de loods voorin een soort kantine bouwen en achterin waar ik woon wil ik ook verbouwen. Ik weet niet wanneer je daar tijd voor hebt maar we zouden er eens over kunnen praten.'
'Je hebt nog geen tekening?'
'Nee, maar daar zorgt Schipper wel voor.'
'Jan is een handige bliksem.'
'Ik kom wel langs binnenkort.'
Voor Willem instapte vroeg hij Luitjens waar hij naar een kapper kon. Hij was verrast door diens antwoord: 'Hier.'
'Hier?'
'Mijn vrouw is kapster en knipt ook heren. Loop maar even mee.'
Ze liepen door de werkplaats naar een deur in de hoek.
'Gerda?' En nog eens: 'Gerda! Ik heb een klant voor je.'
De deur zwaaide open en Gerda ging in de deuropening staan.
'Bos zoekt een kapper. Bos van de werf, Hidde is bij hem aan het werk.'
'Alleen wanneer het past,' zei Willem die Gerda een hand gaf en zijn

naam zei.

Haar handdruk was stevig. 'Het past me nu wel. Kom binnen.'

'Heb je nog koffie?' vroeg Luitjens.

Ze zaten in en grote woonkeuken en dronken koffie. Gerda keek Willem aan en zei: 'Het is ook wel nodig zo te zien.'

Luitjens stond op: 'Ik ga naar Hidde. Tot straks! We zien elkaar binnenkort.'

Met Gerda alleen in de keuken voelde Willem zich ineens wat ongemakkelijk. Hij was in geen jaren alleen met een vrouw geweest. Hij haalde diep adem, wenste dat Gerda oud was en weer niet, keek naar haar toen ze haar werk voorbereidde. Ze schoof een deur opzij en in de nis zag hij een wastafel met een grote spiegel erboven. Ze schoof er een kapperstoel uit en een wasbekken.

'Een ogenblik,' zei ze, 'ga alvast maar zitten.'

Toen ze terugkwam droeg ze iets wat het midden hield tussen een schort en een voorschoot. Hij liet zich knippen en wassen, voelde haar warme handen aan z'n hoofd en sloot z'n ogen.

'Het is klaar,' zei ze, hield een spiegel achter z'n hoofd en hij knikte.

Hij betaalde, zij liet hem uit bij de keukendeur en hij liep door de werkplaats. Z'n hoofd voelde anders.

'Tot de volgende keer, Willem.'

Het was of hij bij het noemen van zijn naam weer haar handen voelde.

Hij was verder de provincie in gereden, vóór Appingedam teruggegaan, had koffie gedronken op de Fraeylemaborg en reed de kade op net toen Schipper en Hidde aan dek kwamen.

Willem liep naar hen toe.

'Bij Gerda geweest?' vroeg Hidde en grijnsde.

'Hoe weet jij... ach ja, Luitjens heeft jou spullen gebracht.'

'Opgeschoten?'

De vraag werd niet beantwoord. De beide mannen verlieten het schip en kwamen bij Willem staan.

'We hebben bezoek gehad,' zei Schipper.

Hidde grijnsde weer en klakte met z'n tong.

'We waren bezig toen er geroepen werd. Ik ben aan dek gegaan en zag een vrouw op de kade die tegen een fiets geleund stond. Ze vroeg naar jou.'

'Een knappe meid, Bos.'

'Hidde, er wordt je niets gevraagd. Hou nou even je mond.'

'Woont hier een Bos, Willem Bos?' vroeg ze. Ik antwoordde niet direct, nam haar op en vroeg: 'Hoezo?' Ze wist even niet wat ze moest zeggen en zei toen: 'Ik vraag u alleen maar of hier een Bos woont.'

'En toen heb ik gezegd dat jij hier woonde,' zei Hidde.

'Je had je er even niet mee moeten bemoeien, Hidde.'

Hidde vloekte. 'Je bent een klootzak, Jan.' Hij liep kwaad weg.

'Laat hem maar lopen; morgen doet hij weer gewoon.'

'Woont Bos hier al lang?' vroeg ze.'

'Hoezo?'

'Ik ben hier op een avond met de auto geweest en toen was alles donker.'

'Ik heb je van een auto op een avond geloof ik verteld,' zei Schipper. Willem herinnerde het zich. Het was 's avonds altijd zo verlaten dat een auto wel moest opvallen.

'En wie bent u?' vroeg ik. Ik zag dat ze aarzelde, ze draaide zich om, stapte op de fiets en reed weg. Ik zag dat het een bijzondere fiets was, in opvallende kleuren.'

'Hoe zag die vrouw er uit?'

'Ja, ja, zeg het maar. Hidde zei: 'Een knappe meid.' Dat was ze zeker. Ze was lang, blond, ze had een spijkerbroek aan en droeg een windjack; het ging allemaal zo snel dat ik me weinig meer herinner.'

'En hoe oud, denk je?'

'Vijfendertig, zoiets, niet splinterjong.'

Het laatste woord viel Willem op. Schipper gebruikte wel eens vaker bijzondere woorden. Iemand van die leeftijd, lang, knap; het zei hem niets.

'Heb je nog familie?'

'Ik zou het niet weten, Schipper, ik zou niet weten wie er nog belangstelling voor mij zou kunnen hebben.'

'Misschien dat ze terugkomt. Jammer dat ze haar naam niet heeft gezegd.'

Toen Schipper naar huis ging, vroeg hij zich af of hij dat wel jammer vond; hij voelde de komst van de vrouw als een inbreuk op de eenzaamheid die hem aan deze plek bond.

17

Gerda had hem herinnerd aan iemand. Hij had in de spiegel gekeken hoe zij hem knipte. Haar vaardigheid was buiten kijf. Twijfelde hij eraan omdat hij altijd door mannen geknipt was? Ze schoor met de tondeuse z'n haar op en knipte verder met de schaar. Ze had hem gevraagd hoe hij geknipt wilde worden en hij had dat eigenlijk niet geweten.
'Niet te kort,' had hij alleen gezegd.
Hij zag haar bezig in de spiegel; er was een moment geweest dat ze elkaar aankeken. Hij had haar opgenomen en er was iets geweest dat hem bekend voorkwam. Was het haar gezicht, haar teint, haar haar? Of eerder haar houding, de beweging van haar armen, de handen waarmee ze de tondeuse en de kam vasthield? Aan de beantwoording van die vragen kwam hij niet toe, omdat Gerda begon te praten. Hoe het hem beviel op de werf en in het dorp. Over de scheepsbetimmering en over Jan.
Hij had het kort gehouden met ja en nee. Ze had geprobeerd hem meer over zichzelf te laten vertellen.
'Je woont op de werf toch wel eenzaam, hè? Je hebt toch gevaren? Heb je ouders hier in de buurt?'
Z'n antwoorden waren geen stimulans geweest. Hij had ook meer aandacht voor haar gehad dan voor haar vragen omdat er een herinnering bleef hangen die hij op dat moment niet kon thuisbrengen. Tijdens het wassen had hij z'n ogen gesloten, was weggezakt en kwam weer terug onder het weldadig schoonspoelen met warm water.

Na het vertrek van Schipper en Hidde was hij aan boord gegaan en in het ruim afgedaald. Ze waren inderdaad opgeschoten. Hij verheugde er zich plots op dat hij met Schipper alleen verder kon met het afwerken van de wanden. Wat was er aan Hidde dat hem stoorde? De grijns toen bleek dat hij door Gerda geknipt was? Hij streek door z'n haar, voelde weer hoe Gerda met de handdoek z'n haar droog wreef en het daarna kamde en wist ineens aan wie ze hem herinnerde. Aan Katja. Aan Katja die z'n haar drooggewreven had en gekamd had toen hij met haar en Harald naar Knokke was geweest. Ze had hem een tikje op z'n wang gegeven toen ze klaar was en gezegd had dat hij nu weer een mooie jongen was.

'Toch niet mooier dan ik?' had Harald gevraagd.

Katja had schaterend gezegd: 'Jullie zijn even mooi!'

Het was in de zomer na het derde jaar op de zeevaartschool en Harald en Katja hadden hem gevraagd mee te gaan. Katja was net afgestudeerd. Meester in de rechten.

'Je hebt spijt, hè, dat je geen fluit hebt gedaan in Amsterdam. Was je ook klaar geweest.'

Ze hadden op het strand gelegen, zoals al die dagen, ook als het wat frisser was. Harald had Katja vastgegrepen, opgetild en in de branding gedragen en haar daar losgelaten. Hij had Katja zien tegenspartelen toen ze werd opgetild en horen schreeuwen toen Harald haar losliet. Ze was boos geweest toen ze terugkwam. Harald had staan lachen en ze was nog bozer geworden. Hoe bozer ze was, des te aantrekkelijker ze werd. Harald had haar weer vastgegrepen en haar net zo lang gekust tot haar boosheid verdween.

Hij had eerst niet mee gewild. Hij had in Rotterdam bij een van de maatschappijen geprobeerd een stage op een tanker te regelen, maar dat was mislukt. Niet omdat men hem niet hebben wilde, maar hij zou pas terugkomen als het nieuwe studiejaar begonnen was. Harald had ervan gehoord, was bij hem gekomen en had gezegd: 'Je bent van harte welkom, Katja stemt er mee in en jij gaat toch niet naar Vlaardingen.' Vlaardingen had hij achter zich gelaten, definitief en plannen had hij niet.

'Hij heeft van de nood een deugd gemaakt,' had Harald tegen Katja gezegd en hij had bijna geweigerd.

'Maar loop ik jullie dan niet in de weg?'

'Zo lang je maar niet bij ons in bed ligt,' had Harald geantwoord en Katja had Harald even op het verkeerde been gezet met haar 'So what?'

Terwijl het gros van hun collega's naar het station was gegaan, hadden zij het veer naar Breskens genomen. 'Waarom ga jij niet naar huis?' had hij Harald gevraagd.

'Mijn ouders zitten in Spanje; ze hebben Katja en mij gevraagd te komen maar ik heb geweigerd. Ruzie met Sander. Franco zou ons niets doen. Als de Amerikanen bases in Spanje hadden waarom zou hij er dan niet vakantie kunnen vieren? Hij vond die linkse Prinzipienreiterei maar niks. Hij probeerde het nog via een uitnodiging aan Katja. Ik heb Sander maar niet gezegd wat zij zei.'

'In één huis met jouw vader? Die laat z'n broek direct zakken als ik alleen in de badkamer ben. Dank je wel.'

'Hij zou het geld dat hij me voor de vakantie gegeven had, teruggevraagd hebben. Bovendien kende ik Katja's plannen al. Ze is met haar ouders vroeger al eens aan de Belgische kust geweest en daar wil ze wel weer heen. En Frankrijk? Die rit is haar te ver. Ze heeft haar rijbewijs wel gehaald, maar om nu met een nieuwe auto ver weg te gaan... Nee, Knokke is het voor Katja en ik vind alles best.'

Katja was niet in Breskens geweest toen ze aankwamen. Harald en hij hadden gewacht bij de steiger. Toen ze kwam aanrijden en uitstapte had ze zich verontschuldigd.

'File, sorry! Je moet de groeten hebben van m'n ouders. Zet je tassen maar achterin.'

Hij had nauwelijks gehoord wat ze zei, onder de indruk van hoe ze eruit zag. Het donkerrode zomerjurkje zonder mouwen en een diepe hals liet meer zien dan hij ooit eerder van haar had gezien en dan had je nog het gemak en de vanzelfsprekendheid waarmee ze optrad.

'Ik rijd wel verder,' had Harald gezegd, 'geef me de sleutels maar.'

Katja had Harald aangekeken en was achter het stuur gaan zitten.

Harald had Willem aangekeken en gezegd: 'Hij is met me mee naar de Hoge Veluwe gereden en heb ik iets verkeerds gedaan?'

Katja had haar schouders opgehaald en de motor gestart.

Harald kon niet tegen haar op. Harald, die op school een minzame arrogantie uitstraalde, moest in haar z'n meerdere erkennen. Willem had achterin gezeten en gezien hoe Harald z'n hand op Katja's been had gelegd.

'Harald, Willem kijkt.'

'Jezus, Kat.'

Hij had zich betrapt gevoeld. Katja kon hen beide aan. Hij voelde zich wat gespannen en vroeg zich af of het wel zo'n goed besluit was geweest mee te gaan. Hij had tijdens de autorit gezwegen en naar buiten gekeken. In de studio had ze meteen het initiatief genomen. 'Ik ben hier niet gekomen om te koken.'

'Nou, dan gaan we naar een restaurant.'

'Nee, we koken om de beurt.'

'Ik heb nog nooit gekookt,' zei Willem.

'Ik ook niet,' zei Harald.

'Dan wordt het tijd dat je dat leert.' Ze keek om zich heen. 'Een mooie studio.'

Hij was naar de glazen pui gelopen, zag het strand en de zee en daarna pas goed het grote balkon. Hij schoof de deur opzij en stapte erop. De zon viel schuin op het balkon en het zou niet lang meer duren of het lag in de volle zon. Hij keek op de boulevard beneden zich. De drukte van een zomerse vakantiedag. Een wirwar van geluiden waarin het geluid van de zee verdween. Hij zag het strand waar mensen het zich gemakkelijk maakten, verder weg de wit oplichtende zoom van de branding en daarachter de grauwe vlakte van de zee. Ver weg een schip. Nog een jaar, dacht hij, dan vaar ik uit.

Toen hij weer naar binnen stapte was de kamer leeg. Alleen zijn tas stond op de eettafel. Hij ging op de bank zitten en daarna probeerde hij er op te liggen. Hij strekte zich uit en sufte weg: alles beter dan Vlissingen of Vlaardingen.

Harald had hem wakker gemaakt. Verdwaasd had hij om zich heen gekeken.

'Je had de bank moeten uittrekken dan had je je bed kunnen proberen.'

'Zo ver was ik nog niet gekomen.'

Daarna was Katja binnen gekomen. Ze had een slipje aan en draaide een handdoek om haar haar.

'Zou je niét...,' had Harald gezegd en ze had zich omgedraaid.

Hij had haar borsten gezien en Harald had gezien dat hij ze zag. Ze hadden elkaar even aangekeken. Als het al een krachtmeting was geweest dan had hij zich de mindere gevoeld.

Katja.

18

De herfst was met een zware storm begonnen. Het water was opge-
zweept en op de koppen van de golven kwam schuim dat weggejaagd
werd. De golven sloegen tegen de kade, braken en het water vloeide weg
over de betonplaten. De populieren bogen stijf met de stormwind mee.
De laatste bladeren joegen door de lucht, kwamen neer op het water of
op de kade waar ze wegvloeiden met het water of rondtolden in de
ruimte voor de loods. De regen striemde neer.

Willem had al z'n kracht moeten gebruiken om de deur te openen en
toen hij die open had, had hij maar nauwelijks weten te voorkomen dat
de deur tegen de loodsdeur aan klapte. Bij het sluiten gleed de kruk uit
z'n handen en de deur sloeg met een dreun dicht. Hij was tegen de wind
opgetornd, had het opzwiepende water en het schuim ontweken en was
naar het schip gelopen. Hij had eerst gecontroleerd of het niet kon
losslaan, was aan boord geklommen en langs het boord geschuifeld om
de luiken te controleren. Hij stond met z'n gezicht in de volle wind. Hij
had geprobeerd rechtop op de plecht te staan. Even voelde hij zich op
zee. Gerustgesteld was hij omgekeerd om van boord te gaan. Hij had
naar het dak van de loods gekeken. Hij voelde de kracht van de storm.
Er waren geen pannen van het dak gewaaid. Hij zag dat z'n auto dwars
op de wind stond. Het zou beter zijn hem met de neus op de wind te
parkeren. In de auto zette hij de ruitenwisser aan omdat de vastgekleefde
bladeren hem te weinig zicht boden. Hij verplaatste de auto, trok de
handrem aan en zette hem in de eerste versnelling. Op dat moment zag
hij Schipper. Hij stapte uit en liep naar hem toe.

'Gaan we aan het werk?' had hij willen zeggen maar Schipper riep hem
iets toe dat hij niet verstond. Willem liep op hem af.

'Ik moet het dak op. Ik heb waterschade. Kun je me helpen?'

'Ik loop met je mee.'

Met de wind opzij viel het lopen nog wel mee, tot ze om de hoek de volle wind in de rug kregen en voortgestuwd werden. Schipper wees Willem op het dak. Een rij pannen was weggeslagen. Een ladder stond tegen de gevel.

Willem zag het hopeloze van z'n hulp in.

'Kunnen we eerst niet beter pannen en zeildoek bij Luitjens halen?'

Schipper knikte. 'Ik haal de auto.'

Langs het kanaal en de brug over was het goed gegaan maar de weg door het dorp was slecht berijdbaar. Takken versperden de weg en ze moesten de auto uit om op te ruimen. De bewoners waren al bezig een boom die over de weg lag weg te slepen.

'De brandweer is gebeld maar die heeft het te druk.'

Ze waren de boom voorzichtig gepasseerd, wisten Luitjens te bereiken en troffen Gerda in de werkplaats.

'Jan is er niet.'

'Kan ik pannen en zeildoek...'

'Je vindt het wel, hè? Ik heb de kinderen thuisgehouden.'

'Als de storm niet was geminderd, was het ons niet gelukt het dak te repareren, Bos.'

Schipper had op het dak gezeten en Willem had de pannen naar boven gebracht. Willem had het beaamd. Ze zaten binnen, voldaan over het werk.

'Dit is me nog nooit overkomen. Voor jou was het denk ik niet zo ongewoon.'

'Ja, ik heb vaker zwaar weer meegemaakt.'

'Was je nooit bang?'

'Je was te geconcentreerd om bang te zijn. Op drukke routes moest je altijd opletten. Zeker 's nachts. Je probeert alles onder controle te houden. En je traint met de bemanning op noodsituaties. Als ieder z'n taak doet, kan er niet zo veel gebeuren. Niet dat het aangenaam is.'

Ze zwegen, keken naar buiten waar het weer wat helderder was.

'De wind zal vanavond verder afnemen.'

Willem voelde zich ontspannen. De stilte binnenshuis na de storm buiten droeg daaraan bij maar er was ook het gevoel dat Schipper en hij nader tot elkaar kwamen. De vanzelfsprekendheid om elkaar te helpen, om samen te werken had hij ook gevoeld bij Gerda, toen ze om pannen en dekzeil kwamen.

'Ik wist niet dat Luitjens kinderen had.'

'Hoe kom je daar zo bij?' De opmerking overviel Schipper.

'Ik zat te denken hoe gewoon ieder het vindt elkaar te helpen in het dorp. Jij komt bij mij om pannen te leggen. Samen maakt men de rijweg begaanbaar en Gerda Luitjens vindt het vanzelfsprekend dat je pannen haalt terwijl haar man er niet is. Ze zei toen dat ze de kinderen thuis gehouden had.'

Willem zag dat Schipper aarzelde. 'Het zijn Luitjens kinderen niet.'

'Hoe bedoel je?'

'Het zijn Gerda's kinderen.'

Ik moet het hierbij laten, dacht Willem, overal zijn zaken waar je niet achter moet komen. Zouden er ook geen mensen zijn die de vraag lieten rusten wie de vader was van Dina's kinderen?

'Luitjens kon geen kinderen krijgen.'

Het openhartige antwoord bevestigde Willem dat Schipper hem vertrouwde. Met een feitelijke constatering als antwoord zou hij het onderwerp kunnen afsluiten.

'En daar hebben anderen toen voor gezorgd.'

Willem begreep ineens waarom Hidde gegrijnsd had toen hij bevestigde dat hij door Gerda geknipt was.

'Zo zou je het kunnen zeggen.'

Hij had geen behoefte te weten wat Gerda nog meer deed dan knippen en scheren, al had ze in hem iets losgemaakt waardoor Katja hem beziggehouden had. Desondanks was Gerda nu onderdeel van zijn gedachten.

'Is Hidde met haar naar bed geweest?'

'Dat mocht hij willen!'

'Zouden er dan geen mannen zijn die hun kind wilden zien? Zou Luitjens hen dat verbieden? Je weet zelf hoe je naar je kinderen hebt verlangd.'

'Laat die er buiten.'

'Maar jij zou toch willen weten...?'

Haast berustend kwam Schippers 'Wat gaat jou dat aan.'

'Omdat jij me aan het hart gaat. Ik had het je graag anders gegund.'
Er viel een stilte. Nu kon je de wind weer horen.
Schippers keek naar buiten en zei: 'Jij bent de eerste in veertig jaar die dat zegt.'
Willem zweeg. Hij dacht aan Katja, die in die zomer in Knokke de eerste was geweest die belangstelling voor hem had gehad. Harald had altijd willen vergelijken, misschien wel willen weten wie van hen de baas was, Harald had altijd over politiek willen praten, over hoe de wereld in elkaar stak, over de mensheid. Alleen bij Katja ging het om hem. Het was een zeldzame ervaring geweest.
Willem boog zich naar Schipper toe. 'Ik stap op. Kom je morgen op de werf?'
Schipper knikte. Terwijl Jan naar buiten bleef kijken, vertrok Willem. Hij liep het pad af, stak zonder om te kijken z'n hand op als groet, liep tegen de wind in langs het kanaal naar de werf, stak schuin over de opdrogende betonplaten over naar het schip, zag niets bijzonders en keerde zich om naar de loods. Het openen en sluiten van de deur ging nu zonder moeite.

19

Willem vroeg zich af hoe het kwam dat hij die altijd een regelmatig en gedisciplineerd leven had geleid, waarin nauwelijks ruimte was voor toevalligheden en van wie het leven vooral bestond uit herhalingen, hier ervaringen opdeed die iets losmaakten en hem uit het strakke gareel van de voorgaande jaren op zee trokken.
Hij had z'n jekker weggehangen en z'n laarzen uitgetrokken.
Wat was hier nu zo anders? Ook hier deelde hij z'n werk immers in en probeerde hij een regelmatig leven te leiden.
Aan boord had altijd een streng regime geheerst. Of je nu matroos, vierde stuurman of kapitein was, de rangorde was onaantastbaar. Je legde je erbij neer. Er werd van je verwacht dat je een rol speelde. Daar kon je weinig van jezelf in kwijt. Wacht op, wacht af, bevelen en verhoudingen lagen vast en hij was er in opgegaan. Wat had hij verloren

door daar zo in op te gaan, vroeg hij zich nu af.

Hij werd zich er van bewust dat de omgang met Schipper totaal anders was dan die hij gewoon was. Hij dacht aan de man van wie hij afscheid genomen had zonder hem aan te kijken. Nóg hoorde hij diens 'Jij bent de eerste in veertig jaar die dat zegt.' Het had hem geraakt... En waarom? Hij kon niet ontkennen dat hij zich ook in de omgang met Wielema en Luitjens anders gedroeg dan in zijn werkzame leven en dat er achter die man in dat uniform die hij zo'n vijfendertig jaar was geweest, een andere persoon school. Het was een nieuw gevoel, niet direct een aangenaam gevoel. Hij schrok er ook een beetje van omdat hij niet wist bij wie hij uitkwam.

Hij realiseerde zich dat hij terugviel op de jaren voordat hij voer. Opnieuw kwamen de herinneringen aan Katja terug. Hij zag ook Harald. Katja en Harald. Katja, Harald en hem. Katja en hem, in die zomer in Knokke.

Nu kwamen de details terug van die vakantie die in Breskens begon. Het was pas de tweede keer dat hij Katja zag. Op het station ruim twee jaar eerder had hij Harald haar zien omhelzen maar hij had geen andere indruk dan die van een jonge vrouw overgehouden.

'Ik ben Katja,' en ze had hem doordringend aangekeken. Hij had haar blik weerstaan. Daarna zag hij haar pas goed. Ze was lang, stevig, maar het meest opvallend was het zomerjurkje zonder mouwen, dat misschien wel met opzet wat krap om haar lichaam zat; je hoefde nergens naar te raden. Ze had lange benen. Haar sandalen hadden dezelfde rode kleur als haar jurk. Hij had haar gezicht opnieuw bekeken. Het halflange, blonde haar kwam tot op haar schouders. Ze wierp het af en toe opzij. Ze had een open gezicht, hoge jukbeenderen en als ze lachte zag je kuiltjes in haar wangen. Ze was niet opgemaakt. Toen ze zich omdraaide om hun tassen in de auto te zetten, had hij de grotendeels ontblote rug gezien en er was een schokje door hem heen gegaan toen hij ontdekte dat ze geen bh droeg. En Harald had zo'n vriendin? Hij schrok even als hij aan zichzelf dacht met zo'n vrouw. Katja bleek aan Harald gewaagd. Het leek op een krachtmeting tussen Harald en Katja toen Harald in de auto z'n gordel niet had willen omdoen. Was het omdat hij niet had mogen rijden van Katja?

'Maar het is verplicht, Harald, al een maand.'

'Die flauwekul,' had Harald gezegd en de gordel niet omgedaan.

Hoe opgelaten had hij zich gevoeld toen Katja Harald terechtwees met haar: 'Willem kijkt.'

Hij had toen moeten zeggen: 'Zet mij er maar uit. Ik ga niet mee.' Maar hij had niets gezegd. Had hij die vakantie willen missen? Vlissingen en Vlaardingen had hij afgewogen tegen Knokke. Het was egoïsme waardoor hij niets gezegd had. Hij was de jongste geweest en was niet tegen Katja opgewassen. Het was ook lafheid geweest. En wat had hij gemist als hij niet was meegegaan?

Willem voelde zich overweldigd door het verleden. Beelden kwamen bij hem op. Probeer alles wat gebeurd is nu eens op een rij te krijgen, hield hij zich voor. Begin bij het begin.

De eerste dag moesten ze wennen aan het appartement. De bedbank in de woonkamer was voor hem bestemd. De slaapkamer voor Harald en Katja. Katja had het eten geregeld en daarna was ze met Harald naar de slaapkamer gegaan. Hij was weggedoezeld. Hij was klaarwakker toen hij Katja met de handdoek om haar haar had gezien. Katja die alleen een slipje droeg. Hij had haar borsten gezien. Harald had misprijzend gereageerd toen ze zo in de kamer kwam. Harald, die op het strand Katja er niet van had kunnen weerhouden naakt te zonnen. Nu liep hij al vooruit op later. Terugspoelen de film.

Die avond had hij aangeboden te koken. Hij had het gevoel dat hij iets moest goedmaken. Harald had hem franken meegegeven en hij had blikken soep en nasi gekocht wat hem commentaar had opgeleverd.

'Verwarmen is nog geen koken, Willem.'

Katja had het voor hem opgenomen: 'Toen wij in Amsterdam samen studeerden, hebben wij leren koken. Willem is alleen maar in de kost geweest, Harald.

'Sorry, Willem, ik bedoelde het niet kwaad.'

Hij had de soep en de nasi verwarmd en het had ook nog gesmaakt.

's Avonds hadden ze met z'n drieën gearmd op de boulevard gewandeld. Katja in het midden, Harald rechts van haar. Hij links en als hij haar af en toe aanraakte voelde hij hoe warm ze was. Hij had geprobeerd afstand te houden. Hij had gemerkt dat Harald z'n arm om Katja's middel sloeg en z'n hand af en toe liet zakken en over Katja's bil streek. Katja maakte dan een extra stapje om zich daaraan te onttrekken. Haralds hand zweefde dan even in de lucht, raakte hem. Hij wist zich een kleine jongen die nog geen vrouw had aangeraakt. Wat in Lerwick was gebeurd stond mijlenver van wat nu door hem heen ging. Hij durfde Katja zelfs niet van opzij aan te kijken.

Ze hadden ijs gekocht en liepen met hun bekers in de hand terug en hij was opgelucht over de afstand die er tussen hen was. Ze hadden gepraat over wat ze de volgende dag – 'dagen,' had Katja verbeterd – zouden doen.

'Wat jullie willen, mag je zelf weten maar ik ben hier om naar het strand te gaan.'

'Dan kunnen wij er nog wel eens met de auto op uit, Willem.'

'Harald,' het had wat dreigend geklonken, 'jij gaat niet met mijn auto op stap.'

Thuis had Harald hem geholpen de bedbank uit te schuiven.

'We hadden haast dezelfde in Amsterdam.'

Hij had lang wakker gelegen die eerste nacht. Hij dacht aan Harald en Katja en bewonderde Katja die Harald behandelde op een manier die hij nooit gedurfd zou hebben. Dat ze met elkaar naar bed waren geweest had minder indruk op hem gemaakt dan Katja die Harald de baas was. Hoe anders was ze dan Hanna, het buurmeisje in Vlaardingen dat er altijd was als hij thuis was.

In de stilte van die eerste nacht was hij opgestaan, had op het balkon gestaan en naar de zee gekeken. Nu er geen geluiden van de boulevard kwamen, hoorde hij de zee in de verte en vaag zag hij het brekende water oplichten. De koelte van de nacht dreef hem naar binnen en hij huiverde even toen hij de deken over zich heen trok. Hij was warm geworden en in slaap gevallen.

De eerste morgen had hij broodjes gehaald en Harald was meegegaan.

'Dan haal ik kranten.' Hij had met een half oor geluisterd naar de koppen die Harald hem voorlas.

'Ik begrijp het niet. Die jongen interesseert zich helemaal, maar dan ook helemaal niet voor het nieuws. Den Uyl en Van Agt zitten elkaar in de haren, minister Duisenberg wil bezuinigen op de staatsuitgaven, de Deltawet wordt aangenomen, Franco ligt dood te gaan en hij glimlacht vroom en reageert niet,' sputterde hij tegen Katja.

'Laat hem, Harald, dat weet je toch zo langzamerhand.'

Ze hadden de dagen doorgaans op het strand doorgebracht.

Harald zeulde kranten en altijd wel een boek met zich mee naar het strand. Willem droeg de tas met frisdrank, koeken, fruit, snoepjes en Katja de badlakens en het zwemgoed. Ze zochten de stilte en uit het zicht van anderen verkleedden ze zich. Hij had zich in het begin afgewend als hij z'n zwembroek aantrok en als hij zich dan omdraaide lag Katja al naakt op haar buik op haar laken en maakte Harald aanstalten haar rug in te smeren. Harald had altijd tussen hem en Katja z'n laken neergelegd. Hij had veel geluisterd naar de gesprekken van Katja en Harald. Niet dat hij zich buitengesloten had gevoeld. Er vielen zaken op hun plaats. Harald had het met hem altijd over politiek en boeken gehad en nauwelijks over Katja, haar familie en de zijne gepraat. Daarvan hoorde hij nu.

Deze gesprekken werden regelmatig onderbroken omdat Harald wilde zwemmen. Hij sprong dan ineens overeind, nam Katja bij de hand, sleurde haar half mee en dan renden ze om het hardst naar zee. Hij volgde, probeerde hen in te halen, bewonderde Katja en was haast jaloers op hen. Harald die Katja vanzelfsprekend in z'n armen nam en haar borsten kuste en Katja die Harald bij z'n ballen greep als hij te onstuimig met haar omging.

Katja was afgestudeerd en uit de gesprekken van die twee maakte hij op dat ze van haar ouders de auto waarmee ze op vakantie waren cadeau gekregen had. Ze zou in september aan het werk gaan op een advocatenkantoor waarmee haar vader relaties onderhield. Het was een wereld die hij niet kende en die in het verlengde lag van wat hij in Bilthoven had gezien. Rijkdom werd er vanzelfsprekend gevonden. Hij voelde een afstand en het kostte hem moeite het oordeel dat hij langzaam over Harald vormde van zich af te zetten: Harald, hoe links jij je ook voordoet, je zet je af tegen je ouders en niet tegen de maatschappij.

De eerste keer dat Harald alleen ging zwemmen waren Katja en hij in gesprek geraakt. Ze lagen op hun buik op hun eigen badlaken, gescheiden door dat van Harald.

Hij was verrast geweest door de openingszinnen van Katja.

'Ik ben blij dat Harald jou is tegengekomen. De zeevaartschool was een noodgreep. Hij heeft van rechten niks gemaakt, letterlijk niks, drie jaar lang zogenaamd actie gevoerd en z'n ouders een rad voor de ogen gedraaid. Ik geloofde dat hij wel studeerde. Tot ik de tentamenbriefjes opvroeg. Niks had hij gehaald, niks, die charmante boef. En ik was gek op hem. M'n vriendinnen verklaarden me voor gek. Ik moest hem de bons geven. 'Hij heeft je verneukt.' Dat zeg je gemakkelijk als je jaloers bent maar ik wist dat hij van mij hield en hij is nooit vreemdgegaan, ook in Vlissingen niet. Hij zei tegen me dat hij naar de zeevaartschool wilde. Ik was stomverbaasd maar hij had verhalen gehoord van z'n opa in Gotenburg die op de grote vaart gezeten had en de zeevaartschool leek hem wel wat. Je weet toch dat z'n moeder Zweedse is? Een vreselijk mens!'

Hij had van nee geschud, verrast – en zij ging verder.

'Is ook onbelangrijk. 'Wil je echt varen?' vroeg ik hem. Toen zei hij van wel, nu wil hij niet meer. Ik ben natuurlijk blij dat hij aan wal blijft maar wat doe je met zo'n diploma aan de wal? Ik weet het niet. Ik maak me er zorgen over.'

Hij voelde zich door haar serieus genomen.

'Hij studeert nu wel,' had hij gezegd, 'We studeren veel samen.'

'Weet je dat hij daar nauwelijks over praat? De krant, boeken, je kunt hem er wakker voor maken. En altijd de politiek.'

'Ik luister braaf.'

'Jij wel, maar ik moet me altijd verantwoorden voor mijn opvattingen als ik hem tegenspreek. Als ik zeg dat ik me vaak gediscrimineerd voel, lacht hij mij uit.

'Kijk naar meisjes uit arbeidersgezinnen,' lult hij dan, 'En vergelijk je met hen. Jij hebt niks te klagen. Je krijgt een auto nu je je bul hebt. Ga fietsen zoals de meisjes die naar de fabriek van je vader gaan. Mannen, verdomme, mannen.'

Ze schoof op haar zij, kwam overeind tot ze op haar elleboog kon steunen.

Hij zoog haar beeld in zich op en was ineens zo beducht voor haar naaktheid zo dichtbij dat hij zich weer de mindere van haar wist. Hij behoorde, zo voelde het, niet tot die wereld van haar 'mannen'.

Hij draaide zich om, ging zitten, keek naar de zee waar Harald ergens moest zijn, wenste dat hij zou terugkomen en zei toen pas: 'Al ga ik veel met Harald om, ik krijg nooit helemaal hoogte van hem. Hij heeft een houding waarvan ik niet weet of die echt is of niet. Toch zijn we vrienden.' Als om zich te verontschuldigen zei hij: 'Misschien moet je elkaar wel niet helemaal kennen om vrienden te kunnen zijn.'

Harald was aan komen rennen, plofte neer op z'n badlaken en trok zich niets aan van Katja die protesteerde dat hij haar nat spetterde.

'En, heb je het over mij gehad?'

'Natuurlijk, wat dacht je, over jou en over hem.'

'Willem, wat heeft ze je allemaal verteld?'

'Ik wist niet dat je in Amsterdam niks aan je studie gedaan hebt. Dat je dat zo lang verborgen wist te houden.'

'Knap, hè? Maar zij had me door.' Er klonk trots in door over zichzelf en vertedering voor Katja. 'Het mooiste is wel dat m'n ouders niets door hadden. Ik vond het een mop, een grote mop.'

Z'n beduchtheid voor Katja was in schroom veranderd toen zij met hem sprak over wat hem bezighield. Had ze hem willen uithoren of was het belangstelling geweest?

'Jij wilt echt naar zee?'

'Al vanaf ik op de lagere school zat. Dan fietste ik naar Maassluis om naar de zeeslepers te kijken. Het verveelde me nooit. Als zo'n schip dan uitvoer, dacht ik altijd: later...'

'Vaart je vader ook?' Harald had dat dus niet over hem verteld.

'Mijn vader werkt in een magazijn.'

Katja had even gezwegen. 'Maar hij ging wel eens met je mee?'

'Nee, nooit. Waarom zou hij? Ik kan nooit goed bij hem doen.'

'En je moeder?'

'Die kiest partij voor m'n vader.'

'Je meent het! Wat hebben ze dan tegen je?'

'Weet ik veel.' En ineens dacht hij: iemand heeft belangstelling voor mij.

Ze vraagt straks door en hij wist dat hij al haar vragen zou beantwoorden, dat hij zich met elke vraag aan haar uitleverde en dat hij zich daartegen niet zou verzetten, integendeel hij zou er op ingaan.

'Ik kan me niet voorstellen dat ouders hun kind afwijzen. Deed je dan wat verkeerd? Ergerde je ze?'

'Ja, maar ik weet niet waardoor.'

'Is er dan vroeger iets gebeurd?'

De vraag verraste hem. Daaraan had hij nooit gedacht. 'Nee. Elke dag was er wel een aanleiding voor ze om op me af te geven. M'n gedrag op school, rapportcijfers, spijbelen, te laat komen. Ik kreeg klappen tot ik zo groot was dat m'n vader het niet meer aandurfde. Vanaf dat moment kon ik ze straffeloos ontlopen.'

'Wat een ellende.'

Hij greep de gelegenheid niet aan om medelijden te wekken. 'Je gang gaan is best wel prettig.'

'Met wie ging je dan om?'

'Met niemand.'

'En je vrienden?'

'Vrienden? Die had ik niet.'

Ze keek hem niet gelovend aan.

'Een vriendinnetje dan?'

Kortaf zei hij: 'Heb ik niet.'

'Willem!' Ze keek hem wat geamuseerd aan. 'Dat geloof ik niet. Een knappe jongen als jij en geen vriendin? Een buurmeisje toch wel? Ik was vroeger verliefd op een buurjongen.'

Hij lachte even en dacht aan Hanna.

'Waarom lach je nu. Je lacht me toch niet uit? Je hebt vast een buurmeisje.'

'Ik heb wel een buurmeisje.'

'Zie je wel. En nu het hele verhaal. Je bent vast al met haar naar bed geweest.'

'Nee!'

'Neeee...' Ze had zich naar hem toegekeerd, schudde haar haar opzij, boog zich naar hem toe. Hij zag haar borsten dichterbij komen en was blij dat hij een zwembroek aanhad.

'Neeeee... Zo bleu ben jij niet.'

En hij zei, om de spanning die hij voelde te breken, 'In Lerwick...'

En zij had het hele verhaal uit hem gekregen, eerst uit hem getrokken tot hij het afraffelde om er zo snel mogelijk van af te zijn.

'Ik heb dit nog nooit aan iemand verteld. Ook niet aan Harald.'

Ze had hem aangekeken, was naar hem toe geschoven en had z'n wang gestreeld.

'Ik zeg niks. Dit blijft tussen ons.'

Hij had gebloosd en hij wist dat zij het gezien had. Maar ze had niks gezegd.

'Die jongen is hartstikke bleu.'

Harald keek twee meiden na die naar het water liepen.

'Wat voor jou, Willem? Katja, die jongen kijkt nooit, ik zeg nooit, naar vrouwen. Zelfs niet naar die twee daarnet.' Harald klakte met z'n tong.

'Harald, geen geintjes.'

'Tot je dienst.'

Hij was blij dat Harald en Katja nu even aandacht voor elkaar hadden. Ze zaten op het strand en voor het eerst hadden ze een parasol meegenomen. Er was een hittegolf. Het zand was zo heet dat je er haast niet op kon lopen of gaan liggen. Ze zaten dicht op elkaar en als Harald zou wegrennen was Katja onder handbereik.

Waarom had Harald zoveel aandacht voor hem? Wilde hij hem afleiden van Katja door hem op andere vrouwen te wijzen? Of zat hem dwars dat Katja het voor hem opnam? Hij merkte dat Harald anders naar hem keek. Hij voelde zich warm worden bij de plotselinge gedachte dat die in hem een rivaal zag. Hij had Katja aangekeken en zij hem. Er was iets veranderd tussen hen drieën.

Katja was achtergebleven onder de parasol. 'Gaan jullie maar. Ik voel me niet fit.'

Zij waren zo snel ze over het hete zand konden lopen naar zee gerend. Hij had Harald gemakkelijk kunnen bijhouden en voorbij rennen. Hij voelde zich ineens niet, niet meer, diens mindere. De indruk die Harald maakte door het vanzelfsprekende gemak waarmee hij met anderen omging, hen als het ware aan hem onderwierp, de hardnekkigheid waarmee hij anderen met z'n politieke opvattingen te lijf ging en z'n belezenheid waarmee hij Harald overtroefde, verbleekten nu hij zich met hem mat op het strand in de spurt naar het water. En toen ze door de branding waren, bleef hij Harald met gemak voor. Hij was teruggezwommen, had gezegd dat hij nog even in het water aan de rand van het strand wilde zitten en had Harald opgewacht.

Diens 'verdomme, ik kon je niet bijhouden,' had hem goed gedaan. Hij voelde zich zelfverzekerder, alsof er iets van hem afgevallen was, hij lucht kreeg en er ruimte om hem heen ontstond waarin hij een eigen plaats had.

'Wat mankeert Katja?' had hij gevraagd.

'Jij weet ook niks van vrouwen.'

Hij zweeg.

'Waarom heb je geen vriendin? Je moet een vrouw hebben, man, dan weet je pas waarvoor je leeft.'

'Wat je niet hebt, mis je niet.' Hij begreep niet waarom Harald dit te berde bracht. In de drie jaar dat ze elkaar kenden had Harald wel eens een toespeling gemaakt op z'n omgang met Katja, maar nooit zo rechtstreeks en overduidelijk. Nu klonk er iets in door van een verwijt.

'Nu lig je je 's avonds in bed...'

'Zoek je ruzie?'

Harald had hem verbluft aangekeken.

'In het begin heb ik je bewonderd en ik voelde me gevleid dat je mij vroeg om mee te studeren. We werden vrienden. Jij, jullie vroegen me mee op vakantie. Weet je dat ik me in Breskens nadat Katja ons opgehaald had, afvroeg of het wel zo verstandig was om mee te gaan?'

Harald wilde reageren.

'Nee, luister. Ik heb altijd naar jou geluisterd. Nu luister je naar mij. Ik heb je nooit tegengesproken. Het was vaak interessant. Ik heb er veel van opgestoken zonder dat ik het met je eens was. Maar de politiek en de literatuur bleven voor mij werelden op afstand. M'n hart ligt niet bij wat jou bezighoudt. Heb ik jou ooit daarop aangesproken? Nooit! Voor het eerst spreek je me op iets aan en moet ik me over iets uitspreken waar ik het met jou nooit over gehad heb. Vrouwen, liefde, seks?'

Hij voelde de zon, spoelde water over z'n benen. Het licht schitterde in

het water dat voortdurend in beweging was, opkwam en terugvloeide.
'Waarom val je me er op aan dat ik geen vriendin heb? Dat kan je geen belangstelling noemen. Daar steekt iets anders achter. Verwijt je me een tekortkoming of is het iets anders? Iets dat met Katja te maken heeft en waarin jij mij een rol toebedeelt? Katja en ik hebben met elkaar gepraat en voor het eerst was er een ander die echt belangstelling voor mij toonde, die mij niet tot zijn standpunt probeerde over te halen maar me in mijn waarde liet.'

'Dus ik...'

'Ik benijd je dat je zo'n vriendin hebt.'

Harald stond abrupt op. Hij torende boven hem uit. Dreigde hij? Hij had omhoog gekeken, tegen de zon in en zag van Harald alleen de contouren.

'Doet het afbreuk aan onze vriendschap als ik vertel dat Katja belang stelt in mij? Ook als ik er aan toe voeg dat ze lief is?' Het ontkwam hem. 'Klootzak.'

'Ik heb haar met geen vinger aangeraakt.' Hij voelde woede opkomen. Had hij het maar gedaan, dan was er een echte reden mij iets te verwijten. De angst overviel hem de enige vriend die hij had te verliezen. 'Dat moest er godverdomme nog bij komen.'

Harald was weggelopen. Hij was gevolgd. Hij had gezien dat Harald de parasol voorbijgelopen was.

'Wat is er aan de hand?' vroeg Katja toen hij bij haar kwam zitten.

'We zijn woedend op elkaar. Om jou.'

Nu pas kwam de schrik dat hij Harald had gezegd dat hij Katja niet had aangeraakt. Hij keek haar aan en wist dat hij van nu af aan met andere ogen naar haar zou kijken. Katja keek ook naar hem. Ze zei geen woord. Hij wendde z'n blik af, verward door wat door hem heen ging. Katja was opgestaan.

'Ik blijf hier nog; ik neem de spullen wel mee.'

Hij keek Katja na, tot hij haar in de drukte op het strand uit het oog verloor. Harald was al weg en nu verdween Katja ook nog. Het beste was zelf ook maar te vertrekken, afstand te doen van wat hij koesterde.

Het is voorbij, dacht hij. Er was spijt die heviger werd naarmate hij zich verloor in herinneringen. Harald die aandacht aan hem had besteed, aan hem en nauwelijks aan anderen van hun studiejaar. Aan de manier waarop ze kennis gemaakt hadden, hun gezamenlijke studie, de wandelingen op de Boulevard die eindigden in gesprekken, vaak monologen van Harald, in een kroeg waarna elk naar z'n kosthuis ging. Het geduld waarmee hij Harald de wiskundevakken had uitgelegd en het geduld waarmee hij had aangehoord en vaak over zich heen had laten gaan dat hij iets miste als hij zich weer niet interesseerde voor wat er in de politiek gebeurde en voor de boeken die Harald las.

'Jij hoort echt bij het klootjesvolk, Willem.'

Dan had hij niks gezegd, doorgaans vaag geglimlacht tot hij een enkele keer uit z'n vel sprong, Haralds woorden tegen hem gebruikte om de voorhoede waartoe die zich rekende onderuit te halen, nee, niet gepassioneerd, veeleer rationeel, als een horlogemaker die een kapot mechaniek onderhanden had. Hij liet Harald na zo'n excercitie verbluft achter.

Hij had hem veel toevertrouwd over z'n afkomst, z'n zwerftochten en z'n passie voor de zeesleepvaart als het eens een keer niet ging over wat Harald bezighield. Hij had zich kwetsbaar opgesteld. Harald had zich omgeven met een verdedigingslinie van mooie woorden die hij van elders gehaald had. Had hij Harald wel leren kennen? Hij dacht aan de bezoeken in Bilthoven, waar hij zo vaak was geweest dat hij door Haralds ouders als huisgenoot werd beschouwd. Uit berekening omdat hij Harald op het studiepad hield? Hij was gevoelig geweest voor de aanwezigheid van ouders die het met hun zoon volstrekt oneens waren maar die hem niet afstootten. Harald had hem ver van Katja gehouden en hem weinig over haar verteld. Ze waren nooit met z'n drieën samen geweest vóór deze vakantie. Hij had Katja, als Harald hen alleen liet om te gaan zwemmen, over zichzelf verteld. Veel meer dan Harald was Katja erin geslaagd met hem over z'n kwetsbaarheid te spreken en nooit wist iemand zo ver in hem door te dringen. Hij had er zich vrijer door gevoeld dan hij zich ooit gevoeld had.

Daarna pas had hij Katja vragen over haarzelf durven stellen. Haar openhartigheid had hij eerst haast pijnlijk gevonden. Het leek of ze hem had aangemoedigd. Zou het geweest zijn om niet onder te doen voor zíjn mededeelzaamheid? Hadden ze zo met elkaar gesproken omdat ze zich tot elkaar aangetrokken hadden gevoeld?

Onder een plotselinge windvlaag draaide de parasol en hij kwam in de volle zon te zitten. De hitte sloeg hem tegemoet. Ik ben beide kwijt, dacht hij, ik ben hier niet meer op m'n plaats. Weer in de schaduw overdacht hij wat hem te doen stond. Vandaag vertrekken zou wel niet meer kunnen. Tenzij ze hem naar Breskens brachten, een tochtje dat hij nog wel van hen kon vergen. Na een laatste avondmaal. Hij hervond zich langzaam, verbood zichzelf sentimentaliteit en bereidde zich voor op het afscheid.

Hij vouwde de parasol dicht, verkleedde zich en zocht de achtergebleven spullen van Harald bij elkaar.

Katja had opengedaan, maar zich omgekeerd toen hij binnenkwam. Hij legde de parasol in de hal op de grond, nam de rest mee de kamer in waar Katja en Harald tegenover elkaar aan tafel zaten. Hij liep ze voorbij, legde de spullen op de slaapbank, draaide zich om en zei: 'Ik ga vandaag...'

'Jij gaat helemaal niet weg, jij blijft. Kom bij ons zitten.' Katja keek hem aan en hij keek beurtelings naar haar en Harald, die wat voorovergebogen op z'n stoel zat en met beide handen op de tafel steunde. Die Harald kende hij niet. Zo timide had hij hem nooit eerder gezien. Harald ontweek zijn blik.

'Wij hebben zitten praten. Het is toch uitgepraat, niet, Harald?'

Hij was gaan zitten aan het hoofdeinde en keek van Katja naar Harald.

'Ik moet me verontschuldigen.'

'Je moet niets.' Katja zei het zachtjes.

'Ik wil dat je me niets kwalijk neemt, Willem.'

Hij schrok bijna van Haralds hulpeloosheid. Hij vroeg zich af wat er tussen die twee besproken was en direct daarna hoe het gesprek verlopen zou zijn als Katja eerst gesproken had met hem op het strand. Welke rol speelde zij? Hij voelde zich ongemakkelijk.

'Sans rancune,' zei hij, 'ik meen het.'

Harald keek opgelucht op. Katja's glimlach had iets triomfantelijks.

Hij was gebleven, maar de overwegingen die hij had gehad om te vertrekken lieten zich niet verdrijven. Hij had niet veel gezegd toen Katja de wijn had gehaald en ze geproost hadden. Het gesprek wilde niet op gang komen. Harald hield zich in en had zich geïntimideerd gevoeld. Er was iets gebeurd waaraan hij zich niet kon onttrekken. En hij niet alleen. Katja's gedrag vond hij geforceerd.

In een wat gespannen sfeer had hij aangeboden de inkopen voor het avondeten te halen. Hij had gekookt en langzaam keerde de vertrouwelijkheid in hun omgang terug. Ze hadden op het terras gezeten. De hitte nam langzaam af. In de donker wordende avond werd het langzaam stiller. Het leek of de stemmen op de boulevard gedempter klonken dan anders. Hij had niet de behoefte als eerste op te breken. De slaapbank moest nog uitgeschoven worden. Hij wachtte daarmee tot Harald en Katja zouden gaan. Harald was de eerste die opstond. Hij was óók opgestaan, was de kamer binnengegaan en had de slaapbank uitgeschoven. Hij had gedacht dat Katja hem zou volgen. Ze was echter blijven zitten. Hij was langs haar naar de rand van het terras gelopen en stond buiten het licht van de kamer uit te kijken naar zee. Katja was achter hem komen staan, sloeg haar armen om zijn middel, legde haar hoofd op zijn schouder en kuste hem in z'n hals.
'Hij denkt dat hij het alleenrecht op me heeft,' zei ze.
'Dat heeft hij ook.' Z'n opgewondenheid overviel hem maar hij duwde Katja weg. Hij voelde de pijn om af te zien van wat hij begeerde.
Katja ging voor hem staan. 'Ik bepaal zelf wat ik me toesta.' Ze liep ineens weg en liet hem verbouwereerd achter. Z'n hart bonsde en z'n broek zat z'n erectie in de weg.
Hij was op het terras gebleven tot hij gekalmeerd was. Ik ga morgen weg, dacht hij. Harald heeft zich door Katja laten pressen z'n verontschuldigingen aan te bieden en ik heb me aan hem verplicht door z'n excuus te accepteren. Harald moet zich vernederd voelen en wat is onze vriendschap waard als ik Katja's wens volg? Dan ben ik hem kwijt en is mijn relatie tot Katja dezelfde als de zijne.
Hij was nu zelf het mechaniek dat hij uit elkaar nam maar waarom het hem niet helemaal lukte wist hij ook. Katja had iets losgemaakt dat zich niet liet beheersen. Hij voelde nu pas goed haar armen om zijn middel

en de kussen in z'n hals. De begeerte die zij kende. Hij moest weg. Hij liep de kamer binnen, trok de broek van z'n pyjama aan, ging liggen en trok alleen het laken tot z'n middel over zich heen.

Het waren stemmen die hem wekten. Eerst dacht hij aan stemmen op de boulevard, maar het waren Harald en Katja die hij hoorde. Hij kwam overeind. Daarna vloog de slaapkamerdeur open en zag hij Katja die door Harald naar buiten geduwd werd en op de grond terechtkwam. 'Opsodemieteren,' hoorde hij, 'Je bent niet eerlijk. Dat kun je me niet flikken.'
De deur viel dicht en ineens was het weer donker.
'Willem? Willem, ik weet dat je er bent, waar ben je?'
Hij hoorde haar adem, daarna voelde hij dat zijn been vastgegrepen werd. Katja schoof naar hem toe. Hij liet zich terugzakken op z'n ellebogen terwijl zij zich over hem heen boog. Ze liet zich op hem zakken en onder haar gewicht viel hij op z'n rug. Ze streelde z'n gezicht en ineens voelde hij haar mond op de zijne. Daarna omklemde hij haar, draaide zich met haar op z'n zij. Hij voelde dat zij z'n pyjamabroek naar beneden schoof en haar slipje uittrok. Ineens was hij in haar, streelde haar borst, zoog zich vast in haar mond. Hij trok zich pas terug toen z'n lid slap werd. Zij kuste hem, ongeremd en heftig, Nog nahijgend viel hij op z'n rug, trok haar naar zich toe en ze streelden elkaar.
De zon was nog niet op toen hij zich aankleedde, z'n tas inpakte en afscheid van Katja nam. Ze had hem niet willen laten gaan. Hij had haar bezworen dat het beter zo was. Hij was naar Breskens gelift. Zijn hospita was verbaasd geweest hem alweer terug te zien.

Hij kwam terug in de realiteit doordat z'n mobieltje ging. Luitjens had een offerte voor de verbouwing gereed. Hij maakte een afspraak maar vergat de dag te noteren.
Hij bleef nog in z'n tocht naar het verleden hangen.
Katja en Harald had hij niet weer gezien. Hij had bericht gekregen dat ze voorbij Goes tegen een boom waren gereden en verongelukt.
Hij pijnigde zich over de datum van de afspraak met Luitjens, terwijl hij langzaam terugkwam in de werkelijkheid.

Harald was de vriend van zijn jeugd en Katja zijn liefde voor één nacht geweest.

20

Hoe kon Schipper nu weer weten dat het hoekhuis bewoond zou worden? Jan had het hem tijdens het werk verteld. Hij was blij dat Hidde z'n werk af had en hij nu met Schipper alleen aan de betimmering kon beginnen. In het ruim begon het op een woonschip te lijken. De beide hutten naast elkaar in het voorschip waren gereed gekomen. In de ene hut waren twee kooien boven elkaar; in de andere was een vast, smal tweepersoonsbed geplaatst.

Nu waren ze bezig de wanden in het ruim te zetten. De tekenaar die Willem voor de klus gevraagd had, was langs geweest en prees de afwerking. 'Ik zou hier wel willen wonen.'

Schipper had het er ook al met hem over gehad. De charme van de woonboot was toch boven de nog steeds niet verbouwde loods te verkiezen?

Willem had aan z'n plan vastgehouden. 'Luitjens heeft me over de verbouwing gebeld. Hij komt binnenkort met de offerte.'

Ze zaten op een bankje in het ruim en dronken koffie toen Schipper met de mededeling over het hoekhuis was gekomen.

'Hoe weet jij dat nu weer?'

'Ik was in het dorp en daar hoorde ik van de woninginrichter dat hij bij mij aan het kanaal vloerbedekking zou leggen. Donkerrood linoleum. Het lijkt me nogal opvallend. Maar ieder z'n smaak.'

Willem vroeg zich af wat voor vrouw het zou zijn die zo'n uitgesproken kleur koos.

De beide bouwlampen zetten het ruim in het volle licht. Door een luik dat schuin omhoog stond viel wat daglicht naar binnen, te weinig om bij te kunnen werken, tenzij je meer luiken omhoog zette maar daar was het weer niet naar.

Donkerrood linoleum? Willem keek naar de vloerdelen. Hoe praktisch linoleum ook was, hout had zijn voorkeur.

'Wanneer gaat hij aan het werk?'

'Al heel binnenkort.'

'Dan heb je weer een buurvrouw, Schipper.'

'Ik ben benieuwd.'

Willem schonk opnieuw koffie in. 'Koek? Ik heb zitten nadenken over daglicht hier. Zouden we een aantal luiken niet door ramen moeten vervangen?'

Schipper had de luiken een karwei voor het voorjaar genoemd. 'We kunnen als we hier klaar zijn, beter de keuken, het toilet en de douche plaatsen.'

Schipper had hem op de hoogte gehouden over het hoekhuis. De linoleumvloer was gelegd en nog geen dag daarna was een verhuiswagen komen voorrijden. Willem had deze niet kunnen zien maar Schipper wel en die kwam met het nieuws.

'Ik heb die vrouw ook gezien.'

'En?'

'Een opvallend type. De verhuiswagen komt uit Haarlem. Ik begrijp niet wat iemand die in de Randstad woont, hier zoekt.'

'Ik kom daar anders ook vandaan.'

'Maar dat is een ander geval.'

'Dat begrijp ik niet.'

'Jij hebt gevaren, zocht een plek met water, een loods en je wilde hier aan het werk.'

'Ik vind het een rare redenering, Schipper. Ik denk dat je het maar niks vindt dat er weer iemand komt wonen die je niet kent.'

Schipper haalde z'n schouders op. 'Wat vind jij er dan van dat er een alleenstaande vrouw komt te wonen.'

'Ik heb geen idee. Maar jij wilt het liever niet.'

'Ik heb het met vrouwen wel gehad. Maar jij, jij bent een stuk jonger.'

'Ik ben nooit getrouwd. Ik heb alleen maar gevaren. Misschien dat er geen tijd voor was.' Hij wist dat het geen overtuigend argument was en voegde eraan toe: 'Ik had collega's die wel trouwden. Ze zochten soms een baan aan de wal om hun vrouw en kinderen. Bleven ze varen en gingen ze ten slotte met pensioen, dan konden ze het met hun vrouw niet meer vinden. Niet al die huwelijken waren een succes.' Hij verzweeg dat er vrouwen in z'n leven waren geweest en dat het niet gekomen was van het huwelijk dat hij gewild had.

'Maar nu staat niks je in de weg.'

'Dat zeg jij! Gesteld dat... dan moet jij haar wel in je omgeving verdragen. En jij ziet haar liever gaan dan komen.'

Het praatje was uit. Schipper was de eerste die opstond en weer aan het werk ging. Willem had nog even aan de nieuwe buurvrouw gedacht maar het werk had hem afgeleid.

Hij had gelijktijdig met Schipper met de nieuwe buurvrouw kennisgemaakt. Ze waren bezig in het ruim en beiden hadden opgekeken toen ze een auto hoorden.

'Dat zal Luitjens zijn met de offerte.'

Daarna hadden ze een deur horen dichtslaan en iemand horen roepen. De stem van een vrouw. De mannen keken elkaar aan. Ze waren aan dek gegaan. Schipper was als eerste boven en Willem had half achter hem de vrouw kunnen opnemen.

'Ik kom even kennismaken. Ik woon op de hoek.'

De vrouw stond tegen de auto geleund. Het was moeilijk haar leeftijd te schatten, waarschijnlijk tussen de veertig en de vijftig. Ze had een open gezicht, kort geknipt blond haar en ze droeg een bruin jasje op een donkerblauwe spijkerbroek; ze liep op hoge hakken.

'Ik ben Schipper, de buurman.'

'Dat dacht ik al, ik heb u gezien.'

Willem en Schipper waren over de loopplank op de kade gestapt.

'Bos,' zei hij, en gaf haar een hand. De handdruk was stevig.

'Marijke Verlinde.'

Er viel een stilte.

Willem had het woord genomen. 'Ik woon in de loods en Schipper en ik verbouwen de boot tot woonboot.'

'Ik ben registeraccountant en werk in Groningen. Ik kom uit Haarlem.'

Ze keek naar het schip. 'Dus u verbouwt het? Ik wil het wel eens bekijken. Maar nu moet ik weg. Het huis is nog niet op orde.' Ze draaide zich om, stapte in en reed weg.

De beide mannen daalden weer af in het ruim. 'Dat klinkt heel wat, registeraccountant,' zei Schipper.

'Jij hebt ze niet zo hoog?'

'Al die mensen die met geld bezig zijn, vertrouw ik niet. Vroeger op de kadercursus van de metaalarbeidersbond heb ik economie gehad en dat was heel praktisch: waar komt in een bedrijf het geld vandaan en waar gaat het naartoe, wie hebben ermee te maken en niet te vergeten: wat krijgen de arbeiders. Deze mevrouw op haar hoge hakken krijgt haar deel wel. Ze rijdt in een Saab.'

Willem had vooral op de vrouw gelet en nu Schipper het merk noemde, dacht hij: verrek, dat is waar!

'Jij bent wel snel met een oordeel.'

'Dat is nu precies het verschil tussen jou en mij. Jij staat daar niet bij stil omdat geld voor jou geen probleem is.'

Willem wilde tegensputteren.

'Jij gaat naar Wielema, naar Luitjens...'

'Ik betaal jou...'

Schipper viel in één keer stil. Vroeger had Willem wel gehad dat geld hem interesseerde. Toen hij begon te varen, niks had, maar nu... Niet dat hij echt vermogend was maar hij had kunnen sparen en z'n pensioen kwam elke maand binnen. Er zouden meer in zijn positie willen verkeren. Ook als ze wisten dat... De gedachte flitste door hem heen dat geld en geluk elkaar niet vervingen.

'Ik ken de vrouw niet, Schipper.' Hij aarzelde even. 'Ik vond het aardig dat ze het schip wilde bekijken. Of jij niet?'

'Dan moet het eerst wel af zijn.'

Willem reageerde niet rechtstreeks, vond dat Schipper hem voldoende tegemoet kwam en zei: 'Laten we dan maar weer aan het werk gaan.'

Terwijl hij weer bezig was dacht hij nog even aan de nieuwe buurvrouw. Hij vond haar niet alleen aardig omdat ze het schip wilde bekijken; ze wás gewoon aardig, wat Schipper ook mocht vinden.

21

Willem herinnerde zich achteraf haarscherp de dag, het tijdstip, het weer en Jan Schipper. Het was een woensdag geweest en hij had zich op die dag verheugd omdat Luitjens met de verbouwing van de loods zou beginnen. Met Schipper had hij opnieuw over de volgorde van het werk gesproken en hij had diens voorstel overgenomen eerst de nieuwe kantine voor de toekomstige gebruikers en bezoekers van de werf te bouwen en daar te gaan wonen totdat z'n woning in de loods verbouwd was. Dat overleg voelde als een bezegeling van hun vertrouwelijke omgang.

'Bij Luitjens moet je op de offerte afdingen; wij werken allebei mee, dus laat hij ons maar voor driekwart op de loonlijst zetten.'

Luitjens had daar moeite mee gehad. Schipper had bij het gesprek gezeten en gezegd: 'Wat ben je een domme kerel, dat je daarop niet ingaat. Een kwart van ons loon krijg je cadeau. Je hebt al aan ons verdiend want op het schip hebben we voor niks met Hidde meegewerkt.'

Ze hadden bij Luitjens om de keukentafel gezeten met de papieren voor zich. Gerda had koffie gebracht en later nog een keer omdat het gesprek niet vlotte.

Het was niet de gewiekstheid van Schipper die Willem had bewonderd, wel diens directe optreden. Hij had er hem des te meer om gewaardeerd. Toen ze weer buiten stonden, zei Willem: 'Dan betaal ik jou natuurlijk wel het volle pond.'

Maar daar had Schipper niet van willen weten.

'Mijn bijdrage,' had hij gezegd.

Hij was die woensdagochtend vroeg op want Luitjens zou om half acht beginnen. Hij was naar buiten gelopen. Het moest nog licht worden en het was stil. Het water rimpelde. De populieren aan de overzijde van het water hoorde hij niet. Over de brug reed een auto. Deze onderbrak het geluid van de auto die kwam aanrijden en na de brug verder reed. Van de huizen aan het kanaal zag hij een enkel verlicht raam. Het dagelijkse leven moest nog beginnen.

De dagen werden korter en de morgen was fris. Hij had een voldaan gevoel en wat hem goed deed was dat Luitjens stipt half acht arriveerde. Uit de cabine stapten behalve Luitjens en Hidde nog twee man. Ze brachten gereedschap en materialen in de loods en hij had direct aangepakt.

Toen er om tien uur werd geschaft, vroeg Luitjens waar Schipper was. Willem schrok op. Dat was niks voor Schipper. 'Ik weet niet waar hij is. Ziek? Ik loop wel naar hem toe.'

Hij had aangebeld en had bijna weer gebeld als er niet opengedaan was. Hij zag Schipper, die zich omdraaide en de gang in liep. Hij volgde hem naar de kamer. Schipper leek niet goed, ziek. Hij pakte van het dressoir een envelop en gaf hem Willem.

'Dina,' zei hij toonloos.

Willem schrok en schoof er een rouwkaart uit.

'Dina?' zei hij, 'mijn God, Schipper. Ik condoleer je.'

Schipper leek klein geworden in z'n stoel. Hij zat met z'n rug naar het raam maar Willem kon z'n gezicht onderscheiden. De kleur was er uit weggetrokken. De spieren in z'n gezicht waren verslapt. In het grijsbleek zag hij de stoppels.

'Wanneer heb je die brief gekregen? Toch niet gisteren al?'

Schipper bleef achterover in de stoel hangen en sprak als vanuit de verte: 'Gisteravond kreeg ik telefoon. Ik verstond de naam niet goed. Die zei me ook niets en toen vroeg ik verder.'

'Wouter van Dam. Ik spreek toch met Schipper, met Jan Schipper?'

'Daar spreekt u mee.'

'Ik ben de man van Joke.'

Schippers stem haperde. Willem hoorde een grom.

'Joke, dacht ik, toch niet Joke?'

'Joke heeft me gevraagd u te vertellen dat haar moeder is overleden.'

'Dina,' zei ik.

'Ja, morgen krijgt u de kaart maar Joke wilde dat u het eerder wist.' En toen hing hij op.'

Willem hield de kaart in de hand, dacht aan de scheiding waar Schipper nooit overheen gekomen was, z'n onvervulde verlangen haar weer te zien, het verdriet om kinderen die hij niet had mogen zien opgroeien, en voelde zich machteloos.

Hij las de kaart, de volle naam van Dina, de namen van de kinderen en kleinkinderen, zag de plaats, datum en tijd van de crematie. Daar kan Schipper niet wegblijven. Ik ga met hem mee, besloot hij.

'Joke wilde dat je het wist. Je dochter heeft aan je gedacht.'

'Te laat Bos, nu hoeft het niet meer.'

Willem besefte dat hij als hij er tegenin zou gaan, Schippers standpunt alleen maar zou verharden.

'Wist jij dat ze getrouwd was en dat Onne ook kinderen heeft?'

'Nee.'

'Het is vreemd,' zei Willem, 'Dina die weg is en kleinkinderen die je plotseling hebt.'

'Dat jij opa bent, Schipper.'

Willem las de kaart weer.

'Joke en haar man wonen in Zwolle, Onne en zijn vrouw in Heerenveen. Het correspondentie-adres is in Heerenveen. Heeft de man van Joke ook een telefoonnummer genoemd?'

'Wat wil je van me, Bos? Dat ik na al die jaren – veertig, Bos – daarnaartoe ga?'

'Joke heeft de eerste stap gezet, Schipper. Zou haar dat geen moeite hebben gekost? Zoveel moeite dat ze het zelf niet aandurfde te bellen en het haar man vroeg? Ik zou er maar eens over nadenken.'

Hij stond op. Het was nog te vroeg Schipper aan te bieden met hem naar de crematie te gaan.

Op de werf had hij alleen gezegd dat Schipper niet kwam omdat z'n ex was overleden.

Daags daarop was Schipper op de werf gekomen. Luitjens was op hem afgelopen en had hem gecondoleerd. De anderen mannen volgden, wisten zich eigenlijk geen raad en gaven hem onwennig de hand. Daarna was Schipper aan het werk gegaan. Het was een dag als alle andere.

22

Willem was 's avonds naar Schipper gegaan. Bij de nieuwe buurvrouw had licht gebrand maar hij had haar niet gezien. Of zij hém had kunnen zien? Het was al donker en Schipper had hem niet zien komen. Hij was verrast en leek achterdochtig toen hij in de deuropening verscheen.

'Heb je even tijd voor me?'

Schipper had geknikt en Willem was hem gevolgd. Hij vond nog steeds dat Schipper naar de crematie van Dina moest, maar hoe moest hij dat voor elkaar krijgen?

Bij de begrafenissen van z'n ouders was hij niet geweest, evenmin bij die van de redersvrouw in IJmuiden. Alleen de crematies van Harald en Katja had hij bijgewoond. Hij was uitgekotst door de familie en dan bleven er als je voer weinig relaties over. Met klasgenoten was hij nooit omgegaan en studiegenoten waren bij verschillende maatschappijen terechtgekomen en uitgezwermd. Zijn ervaringen waren beperkt. Hij had opgezien tegen de crematies van Harald en Katja, had zich eigenlijk geen raad geweten, maar had ze achteraf niet willen missen en dat was niet alleen omdat de ouders van Harald en Katja erg blij met zijn aanwezigheid waren geweest. Als je voer kon ieder weten dat je afwezig kon zijn. Iedereen in Vlaardingen wist dat hij zich buiten de familie geplaatst had: de gouden fiolen vol des toorns Gods waren waarschijnlijk zijn deel geweest.

Willem was gaan zitten, keek naar het donkere, nu bijna zwarte gat van de ruit tegenover hem. Hij begreep dat Schipper op een reden voor zijn komst wachtte en hij dacht: daar moet je dan nog maar even op wachten.

'Je wilt zeker wel koffie?'

'Asjeblieft.' De dood van eerst zijn vader en daarna zijn moeder had hem niet geëmotioneerd toen hij het bericht van de radio-officier had gekregen. Beide keren zat hij in de Golf van Hormuz en beide keren zou hij te laat voor de begrafenis zijn geweest – als hij er al heen gewild had. En dat had hij niet. Maar Schipper was aangeslagen zoals hij na de dood van Harald en Katja. Wat die crematies voor hem betekenden, merkte hij pas in de weken en maanden daarna en waarom zou Dina's crematie voor Schipper niet dezelfde betekenis kunnen krijgen?

De mannen zwegen nog steeds.

Willem dronk de eerste teugjes van de hete koffie, zette het kopje weg en zei: 'Ik denk dat ik naar de crematie van Dina ga.'

'Daar heb jij niks te zoeken.'

'Denk je?'

'Ja.'

'En toch ga ik.'

'Waarom zou je er heen gaan? Je kent er niemand en niemand kent jou.'

'Daarom. De mensen zullen nieuwsgierig zijn. Men zal vragen wie ik ben.'

'Dat zegt ze niks.'

'Oh, nee? Ook niet als ik zeg dat ik een goeie kameraad van Jan Schipper ben?'

Willem wachtte af. Hij dwong Schipper in een positie waarin deze wel haast moest kiezen.

'De mensen zullen dat heel raar vinden.'

'Sommige zullen wel een verband weten te leggen. Het correspondentie-adres is Onne Schipper. En dan vragen ze zich af wie Jan Schipper is.'

'Dat denk je.'

'Ik weet zeker dat er op z'n minst één iemand is die zich dat afvraagt.'

'Joke.'

'En wat dan nog!'

'Die komt naar me toe en vraagt eerst wie ik ben. En of ik nu kort of lang over mezelf praat, ze komt uit bij jou. Ze zal willen weten hoe het met jou is. Dan vertel ik over jou.'

'Dat doe je niet!'

'Natuurlijk doe ik dat. Ik wil niet onaardig zijn.'

'Maar je kunt toch niet over mij gaan vertellen dat...'

'Waarom niet?'

'Maar Bos, dat kun je niet maken!'

'Dan vertel ik haar dat jij nog altijd in hetzelfde huis aan het kanaal woont, dat jij mij helpt op de werf, dat er een foto van haar moeder en

Onne en haar op het dressoir staat, en dat jij...'

'Je haalt het wel uit je hersens, Bos!'

'En dat jij altijd van Dina bent blijven houden en dat je nog altijd
verdriet hebt dat jij haar en Onne bent kwijtgeraakt.'

'Jij bent een grote klootzak!'

'En je kameraad!'

'Lul!'

'Tenzij...'

'Wat tenzij...'

'Tenzij je het allemaal zelf aan Joke vertelt, Jan Schipper. Denk daar
maar eens over na. Je weet nu in elk geval dat ik ga.'

Willem dronk z'n lauw geworden koffie op en vertrok.

Hij liep het pad af, ging voorbij het huis van Marijke Verlinde waar
de gordijnen gesloten waren en liep naar de loods. Hij maakte voor
zichzelf koffie, ging onderuit op de bank liggen en legde z'n voeten op
de lage tafel. Hij slurpte langzaam z'n koffie op, stelde zich de
ontmoetingsruimte in het crematorium voor waar een vrouw van een
jaar of veertig, vijfenveertig op hem afkwam en zich voorstelde als Joke
van Dam.

'Willem Bos. Ik ben een kameraad van uw vader, Jan Schipper.'

Hij stelde zich de ruimte voor als bij de crematie van Katja waar hij zich
voorstelde aan haar ouders.

'Ik ben Willem, een vriend van Katja en Harald.'

'We hebben van je gehoord. Katja heeft over je verteld.'

Hij had plotseling staan huilen en Katja's moeder had hem meegenomen
naar een stoel, waar ze naast hem was gaan zitten.

'Ze hield van Harald en was erg op jou gesteld. Ze belde vanuit Knokke
waar ze boodschappen deed.

'Ik doe vandaag de inkopen, mam. De beide jongens moeten weer eens
lekker eten.'

'Jij kon er niks van, van koken,' zei ze.

Hij had geglimlacht tussen z'n tranen door.

'Nee, ik warmde alleen maar eten op, zoals Harald zei.'

Hun gesprek was onderbroken door mensen die Katja's moeder
condoleerden maar ze hadden het voortgezet.

'Hoe was jullie vakantie?' Ze had hem niet aan het woord gelaten.

'Harald zal wel hebben willen discussiëren. Je kon er zo moe van worden, aldoor maar weer over de politiek. Katja was het wel met hem eens – alleen Katja was een praktische idealist. Die hield niet van al dat getheoretiseer. En jij?'

'Ik luisterde alleen maar. Ik had geen mening. Eén keer zei ik: "Jede Konsequenz führt zum Teufel."'

Harald was verbluft. 'Een citaat van Luther,' zei hij. 'Met een gereformeerde opvoeding...'

'Ik heb veel van Harald geleerd maar Katja heeft me in die vakantie de ogen geopend.'

Katja's moeder had hem aangekeken.

'Hoe gingen jullie met elkaar om? Harald was zo bezitterig. Hij wilde Katja helemaal voor zich alleen. En nu was jij erbij.'

'Een paar keer heb ik op het punt gestaan weg te gaan.' Hij aarzelde.

'Hadden ze verschil van mening? Daarom?'

'Harald mocht van Katja niet rijden.'

'Weet je dat Harald reed?'

Hij was opgelucht door de wending in het gesprek. Aan de reden waarom hun vakantie opgebroken was, aan die afgrond ging het voorbij, en hij voelde zich schuldig. Als Katja niet met hem geslapen had en hij niet vertrokken was, waren die twee ook niet weggegaan. Dan hadden ze hun ruzie bijgelegd en had hij hier niet gezeten. Hij was geschrokken.

'Reed Harald?'

'Hij mocht niet van z'n ouders rijden, hij mocht niet van Katja rijden en toch reed hij. Willem, is er wat gebeurd?'

De afgrond lag weer voor hem open.

'Ik weet het niet,' zei hij, 'ik weet het niet,' en hij schoot vol, van schaamte om z'n leugen.

Katja's moeder had haar arm om hem heen gelegd en 'Toe maar, huil maar' gezegd en hij had zich omgedraaid en zich aan haar vastgeklemd. Hij had haar niet verteld dat hij van Katja hield en had evenmin over z'n lippen kunnen krijgen dat Katja hem misschien als een bondgenoot zag of prozaïsch hem als een pion in haar strijd met Harald inzette, tot ze zich aan hem gaf en zelf in de vuurlinie lag van een innerlijke strijd over welke liefde voor haar de sterkste was. En als hij het haar wel verteld had, had dat dan nog enig verschil gemaakt?

Zijn benen op de tafel waren stijf geworden, hij kon ze moeizaam buigen. Hij wreef over z'n bovenbenen. Morgen zou hij met geen woord met Schipper over de crematie spreken, dan kwam het weekend en zou hij Luitjens inlichten dat hij naar de crematie ging. Maandagmorgen zou hij bij Schipper voorrijden.

23

Aan het laatste jaar op de zeevaartschool had hij maar weinig herinneringen. Na de crematie was hij met de delegatie van school niet naar Vlissingen teruggereisd maar naar Vlaardingen gegaan. Op beide plekken had hij overigens niets te zoeken: hij verkoos Vlaardingen omdat de herinneringen aan Harald en dus aan Katja daar niet direct gevoed werden. Haralds ouders hadden hem gevraagd bij hen te komen en ook Katja's moeder had hem dat gevraagd. Hij had het afgehouden. De bezoeken aan Bilthoven en Bentveld zouden de tijd alleen met herinneringen hebben gevuld. Daaraan zou hij zich niet hebben kunnen onttrekken en al begreep hij de wens van de ouders van Harald en Katja over hen te horen, hij werd overweldigd door een gevoel van schuld. De ontvangst thuis was kil geweest. Hij was de verloren zoon gebleven. Hij had verteld dat hij naar twee crematies was geweest en alleen al het feit dat het geen begrafenissen met een dienst vooraf waren, had ergernis opgeroepen. Het enige waaruit hij een blijk van acceptatie kon opmaken was dat hij – in uniform, met kort geknipt haar en gepoetste schoenen – door een ringetje te halen was geweest, waarmee hij bij de omgeving eer inlegde. Over wat hem bezig hield had hij niet kunnen praten en op de vraag wanneer hij weer dacht te vertrekken had hij het weekend genoemd, omdat het nieuwe studiejaar weer begon. Zijn vertrek op zaterdag zou in elk geval de ritueel geworden woordenstrijd over de zondagse kerkgang voorkomen.

Hij was eigenlijk alleen thuis om te eten en te slapen. Hij had zich verkleed zo gauw dat mogelijk was, had van z'n ouwe fiets de banden opgepompt, had in de polder rondgezworven en was naar Maassluis gereden. Hij was als vroeger de tijd vergeten en had als toen aanmerkingen gekregen toen hij te laat thuis was gekomen. Het kijken naar de zeeslepers en later het bezoek aan het hoofd personeel dat hem een stageplaats had bezorgd in de zomer voor hij naar de zeevaartschool ging, hadden de naargeestigheid van thuis even teniet gedaan. Hij wist zich gesterkt in de wil naar zee te gaan.

En Hanna was er geweest. Hij voelde achter haar aanwezigheid de hand van zijn ouders. Ze was kennelijk het laatste wapen om hem terug te brengen op het pad dat hij in hun ogen verlaten had. Natuurlijk was ze niet toevallig langsgekomen. Ze was niet onaardig maar Katja stond nu tussen hem en haar. Hun gesprek was stroef verlopen door haar verlegenheid en zijn afwezigheid en misschien kwam het ook omdat zijn moeder in de buurt was.

Hij had de dag voor zijn vertrek uit Vlaardingen op het punt gestaan op de fiets weg te gaan toen zij kwam aanrijden. Hij schrok een beetje. Katja was in zijn gedachten toen Hanna hem aansprak. Hij was het liefst alleen gaan fietsen en zwemmen maar kon er niet toe komen nee tegen haar te zeggen toen ze vroeg of ze met hem mee mocht.

De hittegolf was voorbij maar het was nog volop zomer. Hij had niet naar Maassluis gewild maar in de Broekpolder willen rondkijken en aan de Nieuwe Maas aan het water willen zitten. Hij had niet willen praten en niet willen nadenken, alleen maar willen zitten en voor zich uit staren.

Hij had weinig gezegd tijdens het fietstochtje. Ze had vragen gesteld waarop ze het antwoord al wel wist maar toen ze achter een boswal op het gras zaten, had ze hem gevraagd wat er toch was tussen hem en zijn ouders.

'Dat kun je al wel weten. Er is volstrekt geen verstandhouding, al van jongs af aan niet en de verwijdering is alleen maar groter geworden. Ik doe dingen waarmee ze het volstrekt oneens zijn. We delen niet dezelfde opvattingen. Of het nu de kerk betreft, of de politiek, of de omgang tussen mensen, tot in het belachelijke toe: of je op tijd thuiskomt voor het eten. Ze denken dat ik tegen het geloof ben, tegen de christelijke politiek, tegen hun gewoonten en gebruiken en dat ik iets anders geloof, dat ik socialist of in hun ogen nog erger, communist ben. Was dat maar waar. Dan waren de verschillen duidelijk. Ben ik voor of tegen de Amerikanen in Vietnam, voor of tegen de Vietcong, ben ik voor of tegen de komst van al die Surinamers die hierheen komen nu Suriname zelfstandig wordt, ben ik voor de aanschaf van straaljagers of tegen? Ik had een vriend die overal een standpunt over had, die me aldoor weer uitlegde hoe het zat en die me wilde overtuigen van zijn opvattingen. En nog wist ik het niet. Ik denk dat ik te weinig opvattingen heb of misschien wel helemaal geen. Denk niet dat wat m'n vriend me allemaal vertelde, niet de moeite waard was. Ik nam er kennis van – al was ik het wel eens zat steeds weer dezelfde argumenten te horen. Niets is twee keer zoveel waar als je het twee keer vertelt. Mijn ouders denken dat ook: des te vaker je de Bijbel leest, des te onomstotelijker de waarheid is. Er is, denk ik, voor mij niks waar.'

'En niets, niets is meer de moeite waard?'

Het was een reactie die hij niet van haar had verwacht. Katja, dacht hij, Katja was de moeite waard. Katja ging niet uit z'n gedachten. Hij huiverde plots – ondanks de warmte. Katja was dood. Hij keek Hanna aan. 'Nee, ik denk van niet.'

'Ik geloof er niks van,' zei ze.

Hij keek haar niet aan, dacht aan de nacht met Katja en de gloed die hij tot na het ontwaken in zijn lijf had gevoeld.

'Wat wil je van me?' vroeg hij, 'Waarom kom je me opzoeken als ik in Vlaardingen kom? Vlaardingen is over een jaar voorbij, definitief voorbij, daarna kom ik hier nooit weer terug.'

'Maar Willem, waarom dacht je dat ik je opzoek? Begrijp je dat niet?' Ze schoof naar hem toe. 'Je kunt het toch met mij proberen?'

Hij keek haar stomverbaasd aan. Plots doorzag hij haar opzet.

'Begrijp je dan niet, Hanna, dat je gebruikt wordt door jouw en mijn ouders, door de dominee en de ouderlingen om mij terug te...?'

'En als ik dan zeg dat ik van je...'

'We zullen nooit gelukkig worden.' Hij was bij haar weggeschoven en opgestaan. 'Bespaar je de moeite.'

Het had iets aandoenlijks gehad zoals Hanna op haar knieën was gaan zitten en zijn broekspijp vastgreep. Zij deed iets wat hij aanvankelijk bij Katja nooit gedurfd had. Hij wist dat zij zou volhouden en ging weer naast haar zitten.

'Je kunt me toch op z'n minst vertellen wie die vrienden waren die overleden zijn.'

'Hoe weet jij dat?'

'Je moeder heeft me over die crematies verteld.'

Hij had er niet onderuit gekund en verteld. Hanna had soms doorgevraagd als hij stokte en hij had haar meer verteld dan hij gedacht had. Ze deed zoals Katja en als Katja's moeder, realiseerde hij zich. Door haar aandacht voor hem, brak er iets door. Niet dat hij ontremde en alles vertelde maar wel dat hij zijn verdriet uitte – om Harald en om Katja. Hanna was op het juiste moment terughoudend geweest: hij had niet hoeven uit te spreken dat hij van Katja hield en dat hij zich tegenover Harald schuldig voelde.

'Er was dus toch wat de moeite waard, Willem.'

'Er was...'

'En dat zou niet weer kunnen gebeuren?'

'Dat denk jij.'

'Ja.'

'Ik niet.'

Ze zwegen tot Hanna verder vroeg. 'Wat maakt het de moeite waard om naar zee te gaan?'

'Dat weet ik niet. Wat ik wel weet is dat ik het van jongs af aan wil.'

'Een vlucht?'

Ze had hem geraakt met haar opmerking.

'Hoe kom je erbij! Jij begrijpt het niet. Het gaat niet om m'n ouders. Het gaat om mezelf. Ik wilde me altijd al afzonderen.'

'En een vrouw past daar niet in?'

'Nee.'

'Terwijl je verdriet hebt om een vriendin?'

Het was de tweede keer dat zij hem overtroefde. Hij had niets moeten vertellen, maar door haar, hoe moest hij het allemaal noemen: belangstelling, bezorgdheid, medeleven, nieuwsgierigheid was het hem duidelijk geworden. Haar verliefdheid had hij tot zich toegelaten en hij had zich laten verleiden tot openhartigheid.

Hanna was niet verder gegaan en had niet op een antwoord aangedrongen. Ze was gaan staan, had haar fietstas gepakt en was weggelopen. Toen ze terugkwam had ze haar badpak aan.

'Ik ga zwemmen.'

Hij had haar nagekeken en zich afgevraagd of hij met haar had kunnen vrijen zonder van haar te houden. Daarna had hij zich verkleed en was ook naar het water gegaan.

Die middag hadden ze nauwelijks meer gepraat; stilzwijgend waren ze naar huis gereden en hadden ze afscheid van elkaar genomen. Hanna had hem aangehaald en vluchtig gezoend en 'Tot ziens' gezegd. Hun fietssturen waren in elkaar gehaakt geweest.

Hij had zich op z'n studie gestort. Harald en Katja hielden hem desondanks bezig. Pas eind december was hij in Bilthoven en Bentveld geweest. In Katja's moeder had hij Katja herkend. Het was hem meer dan opgevallen. Hij was er haast ontdaan door geweest. Sander en Margaretha had hij horen bekvechten over wie er verantwoordelijk was voor de mislukte rechtenstudie. Daar pas had hij gehoord dat een auto-ongeluk waaraan Harald schuldig was tot een rijverbod van hun kant had geleid. 'En jij, weet je nog, jij gaf hem je autosleutels en toen ging hij met Willem naar de Hoge Veluwe, jij.'

Hij had er niet tegen gekund en het moeten verdragen. Hij had moeten ontkennen dat hij een matigende invloed op Haralds politieke opvattingen had gehad. Ze hadden hem willen bedanken door hem een bedrag te schenken.

'Ik waardeer het gebaar maar zal de schenking niet aanvaarden.'

Toen hadden ze hem aangeboden z'n verloven in de toekomst in hun onlangs gekochte huis in Spanje door te brengen.

'Franco is nu toch dood en dat maakt het reizen een stuk gemakkelijker.'

Dat had hij aanvaard, omdat het nog zo ver weg was.

In de omgang met z'n ouders was voor het eerst in z'n leven een verandering geweest. Hoewel hij z'n komst niet aankondigde en niet alle verlofweekends naar Vlaardingen ging, was Hanna er steeds geweest. Hij was zo achterdochtig geweest te denken dat iemand haar informeerde.

Hanna was een soort tussenpersoon tussen hem en z'n ouders geworden. Die hadden die rol graag geaccepteerd, zoals hij merkte. Hij had zich daarin geschikt zoals hij zich ook schikte naar de plannen die ze maakte, al bruuskeerde hij haar ook door alleen de polder in te gaan en haar gewoon te laten staan. Er kwam geen verwijt over haar lippen. De keer dat ze hem vertelde dat ze door een kennis uitgenodigd was om uit te gaan, had hij beschouwd als een doorzichtige truc hem uit te dagen. Maar toch ging door hem heen dat hij een rivaal had en dat prikkelde hem. Zeker doordat Hanna zich er niet over uitliet. Dat zijn vader het terloops over een vrijer had, ergerde hem. Was Hanna dan iets anders dan een surrogaat voor Katja? Hij had zich daarna niet altijd verzet tegen haar pogingen hem voor zich in te nemen. Op een avond waren ze naar de film geweest en hij had haar thuis gebracht. Er had geen licht gebrand en hij was mee naar binnen gegaan. In de hal had hij haar vastgepakt. Een koortsige lust had hem bevangen. Ze had hem laten gaan maar niet meer toegestaan dan dat hij haar met z'n hand tussen haar benen streelde.

'Nu niet,' had ze gezegd, 'm'n ouders komen zo thuis.'

Hij had losgelaten en dacht: ze wil wel, ook al ben ik maar een bok die dekken wil. Toen hij weer op straat liep met een stijve waarin z'n hart klopte, kwam het gevoel dat hij een klootzak was. Weer tot rust gekomen voelde hij zich schuldig dat hij met haar had willen vrijen.

Hij was afgestudeerd. Hij was de enige van zijn jaar geweest van wie geen familieleden of vriendin aanwezig was. Het afscheid nemen van z'n jaargenoten viel hem niet zwaar. Hij had geen vriendschappen gesloten buiten die met Harald en jaargenoten zouden zich van hem afgekeerd hebben als hij in het laatste jaar nog zou hebben geprobeerd serieuze aandacht aan hen te schenken.

Hij had al een contract en was aangemonsterd. Een vakantie zat er niet in. Hij werd in Rotterdam verwacht. Hij ging voor een paar dagen naar Vlaardingen, waar hij z'n ouders en Hanna met het diploma verraste en om afscheid te nemen.

Er was de laatste dag van zijn verblijf thuis een vreemde spanning. Alsof er van hem iets verwacht werd. Zijn ouders hadden hem en Hanna aangekeken maar de een noch de ander had iets gezegd. Hij was opgestapt, verdroeg niet dat er niets uitgesproken werd van wat kennelijk wel gedacht werd. Hanna was hem gevolgd, haalde hem in en liep met hem de polder in. Hij had toch nog naar de polder gewild, voor de laatste keer – hoe lang zou er wel niet voorbijgaan voor hij hier weer kwam? – en het weer was prachtig. Hij dacht aan de vakantie die een jaar eerder rond deze tijd begonnen was, zag Harald en hem zitten bij de veerboot, wachtend op Katja. Katja, die zo'n indruk op hem gemaakt had dat hij beducht geweest was voor haar, al helemaal toen ze naakt op het strand naast hem had gelegen.

'Loop niet zo hard, Willem. Ik word er moe van.'

Hij had het ook warm gehad, plots warm gekregen.

Ze waren weer achter de boswal gaan zitten. Hij zat met opgetrokken knieën, z'n hoofd erop en z'n armen eromheen geslagen.

'Waar denk je aan, je laatste dag hier?'

'Aan niks. Aan dat ik morgen aan boord ga. En jij?'

Plotseling huilde ze. 'Aan jou, aan jou, Willem. Maar jij denkt niet aan mij. Jij denkt alleen maar aan jezelf. Waarom denk je dat ik je nagelopen ben? Omdat ik zo graag de polder in ga?'

Ze haalde een zakdoekje tevoorschijn en snoot haar neus. Ze frommelde het zakdoekje ineen en draaide het rond in haar handen. 'Ik wacht al maanden op jou, ik laat je merken dat ik gek op je ben en jij reageert niet. Ik raak helemaal van streek. En dan komt je moeder ook nog en vraagt me hoe ver het met ons staat.'

Ze wreef met de rug van haar hand over haar ogen, streek haar haar over haar slaap. 'En ik wil je zo graag, ik had zo graag, toen in de gang, verder willen gaan, je streelde me en ik voelde je erectie tegen m'n heup. Ik heb naar je verlangd en ik verlang nog naar je.' Ze schoof naar hem toe.

'Raak me nog een keer aan, morgen ben je er niet meer.' En haast driftig: 'Ik wil niet dat dit moment voorbij gaat.'

Ze had haar blouse losgeknoopt, schoof de bandjes van haar bh over haar schouders en ontblootte haar borsten. Ze trok z'n hand naar haar borst, draaide zich naar hem toe.

'Toe, Willem, toe.'

Hij had haar borst gevoeld, zacht en warm en hij had daarna beide borsten in z'n handen genomen, kneedde en streelde ze. Hij legde z'n hoofd op haar borst en hijgde. Z'n handen gingen naar haar rok, die hij opschoof en terwijl zij haar lichaam optilde schoof hij in een ruk haar broekje naar beneden. Hij kwam overeind op z'n knieën. Hanna trok haar broekje over haar voeten en hij maakte z'n broek los. 'Toe, liefste, toe.'

Hij hoefde niet aangemoedigd te worden. Ze trok haar benen op en spreidde haar dijen. Hij zag nog even de weelde van haar schoot en schoof als vanzelf bij haar naar binnen. Hij had Katja's gezicht voor zich terwijl hij klaarkwam.

Wat heb ik in godsnaam gedaan, dacht hij toen hij weer naast haar lag en tot bedaren kwam. Hanna had gesnikt en was tegen hem aan gaan liggen, sloeg een arm om hem heen. 'Niet weggaan,' zei ze, 'niet weggaan. Blijf bij me.'

Hij had eerst niets gezegd. Pas na een poos zei hij: 'Je weet dat ik niet blijven kan.' Ze had zich alleen maar aan hem vastgeklampt. En weer later zei hij: 'Ik kan je alleen maar teleurstellen.'

'Zeg dat niet,' antwoordde ze, 'het was heerlijk.'

'We moeten gaan, Hanna.'

'En wat zeggen we tegen je ouders?'

'Ik weet wat jij wil maar ik kan het niet, Hanna.'

En weer zei hij: 'Ik kan je alleen maar teleurstellen, Hanna.'

Ze hadden zich aangekleed en waren zwijgend teruggelopen. Hij had gezegd dat hij alleen naar huis ging. Besluiteloos bleven ze staan tot Hanna zei dat ze hem naar Rotterdam zou willen wegbrengen. Hij had geknikt. Ze hadden elkaar niet meer aangeraakt. Thuis had hij alleen maar gezegd dat Hanna naar huis wilde en hem morgen zou weg-brengen. Zijn moeder had vragend gekeken maar hij had haar blik niet beantwoord.

Het afscheid van zijn ouders was als vanouds kil geweest. Hij wist toen zeker dat hij niet weer zou terugkeren. Hanna had hem weggebracht met de auto van haar ouders. Pas bij het afscheid vroeg hij haar of ze de pil gebruikte. Ze had geknikt.

Hij voelde zich geradbraakt en een bruut.

24

Vrijdag was Schipper niet komen opdagen. Hidde had gevraagd waar hij bleef. Willem kon er geen antwoord op geven.

'Hij heeft de vrijheid te komen wanneer hij wil.'

In de loods was de hoek waar verbouwd zou worden leeg. De tegels waren weggehaald, de bodem was verdiept en de sleuven voor de fundering waren al gegraven. Willem had kruiwagen na kruiwagen aarde naar het bosje gereden.

'Als de fundering er eenmaal in zit, zie je pas goed hoe het wordt,' zei Luitjens.

Willem was blij dat het werk dat volgde in de loods was. Buiten was het fris. Binnen bleef je wel warm als je doorwerkte.

Het werk werd stipt op een vaste tijd onderbroken om te pauzeren. Willem nodigde de mannen uit bij hem te schaften. Hij zorgde voor koffie en thee.

Hidde en Luitjens waren aan het woord. De twee andere mannen luisterden. Hidde informeerde naar de verbouwing van het schip, Luitjens verdeelde de werkzaamheden en daarna was het gesprek op Schipper gekomen.

'Wist jij, Luitjens, dat Jan getrouwd was?' vroeg Hidde.

'Ik heb ervan gehoord maar ik heb z'n vrouw nooit gekend. Wielema wel. Die was nog een jongen. Die heeft de oude Schippers ook nog wel gekend, denk ik. Er zijn niet zoveel meer op het dorp die nog weten van zoveel jaar geleden.'

'Ik vind het wel vreemd, hoor,' zei Hidde, 'om na zoveel jaar aan het verleden herinnerd te worden. Vind je ook niet, Bos?'

Hij had het beaamd maar was er niet op doorgegaan en daarmee was het praatje uit. Hij dacht aan Schipper, bij wie het verleden opspeelde, zoals het ook bij hemzelf onweerstaanbaar terugkwam.

Toen het werk er om vier uur op zat en er opgeruimd was, de mannen al over het weekend begonnen – het voetballen, de supermarkt, op familiebezoek, snoeiwerk in de tuin – en afscheid namen, overwoog Willem bij Schipper langs te gaan.

Ik moet het maar niet doen, dacht hij. Ik heb me misschien al wel te veel met hem bemoeid. Hij dacht aan wat hij voor de maandag moest voorbereiden. Tanken? Hij liep naar z'n auto, controleerde de meter – nog niet halfvol – en besloot naar de pomp te gaan. Het enige wat hem opviel, was dat Schippers auto er niet stond. En ook niet toen hij terugkwam.

Hij had een rustig weekend en de tijd aan zichzelf. Hij dacht eraan hoe lang het wel niet geleden was dat hij een donker pak had gedragen. Bij de crematie van Harald was hij in uniform geweest. Bij Katja ook? Hij wist het niet meer. In IJmuiden moest hij toch iets hebben gehad om uit te gaan? Hij had daar toch niet altijd in uniform gelopen? Jeans, ja, hij keek naar de spijkerbroek die hij aanhad en dacht: nee, ik ga in een pak of een jasje met een donkere broek. Hij had gezocht. Wat hij vond, bevestigde wat hij veronderstelde: de broek paste hem niet meer, de donkerblauwe blazer nog wel. Hij was naar Hoogezand geweest voor een broek, was geslaagd, maar de pijpen moesten worden ingekort. Hij kon er voor terugkomen.

'Als meneer z'n naam en adres even opgeeft?'

De verkoper had hem verrast aangekeken.

'Ik heb daar nog een klant die vandaag langskomt.'

Willem had niet gereageerd en alleen gedacht dat hij zich over Schippers aanwezigheid maandag geen zorgen hoefde te maken. Hij had in Hoogezand gegeten en de krant doorgebladerd. Hij had aan Harald moeten denken. Die had ongetwijfeld wel iets gelezen om met hem over te discussiëren. De broek had hij opgehaald. Op het laatste moment schoot hem te binnen dat hij niet meer naar een overhemd en een das had gekeken. Hij liet ze samen met de broek inpakken.

Op zondag had hij rondgekeken in de ruimtes waar hij nu woonde en nagedacht wat hij kon laten staan als de verbouwing klaar was. Daarna was hij naar buiten gegaan. Het was guur en er stond een harde wind. Hij had wel een eind willen lopen maar bedacht zich toch. Hij had langs het kanaal moeten gaan voor hij bij het fietspad kwam, maar dan had

Schipper hem kunnen zien en dat wilde hij niet. Hij liep in plaats daarvan over de kade naar het schip, klom aan boord en ging de stuurhut binnen. Peinzend keek hij over het dek, de kade en het water. Op de een of andere manier deed het hem goed aan boord te zijn. Het schip bewoog en hij voelde de sensatie van toen hij nog voer. Hij schrok op toen er tegen het raam werd getikt.

'Hoorde je me niet?' vroeg ze toen hij de deur opendeed.

Hij keek op, zag de nieuwe buurvrouw, van wie de naam hem langzaam te binnen schoot. Marijke Verlinde.

'Kom binnen. Het is te koud om buiten te staan.'

Willem zag dat ze niet zo modieus gekleed was als de eerste keer. Schipper had zich daaraan vast geërgerd... Nu droeg ze een oude spijkerbroek, een bodywarmer en, hij moest het toegeven, de muts en de sjaal waren wel modieus.

'Ik zou altijd nog eens het schip bekijken. Past het je nu?'

Hij had geknikt en de deur achter haar dichtgetrokken.

'De stuurhut. Het enige wat nog niet kan, is de motor starten. Stuurwiel, roer, kompas: het werkt allemaal weer.'

'Je hebt er nog niet mee gevaren?'

Hij lachte. 'Nee, dat is voorbij. Ik wil het tijdelijk verhuren als de verbouwing af en het schip ingericht is.'

Marijke Verlinde keek rond. Ze streek met haar hand over het glanzend gepoetste koper van het kompas. Het nam haar voor hem in.

'Zal ik dan maar voorgaan?'

Hij daalde af naar de roef met de kombuis en liep door de nieuwe deur naar het ruim. 'Wacht, ik doe een lamp aan.'

'Het varen is voorbij?' zei je. 'Heb je dan gevaren?'

In plaats van de vraag te beantwoorden vroeg hij of ze zin in koffie had.

'Als je wilt kan ik koffie zetten.'

'Graag,' had ze geantwoord.

'Melk, suiker?'

'Beide. Gewoon.'

Willem was met twee mokken teruggekeerd.

Toen hij terugkwam zei ze: 'Ik heb even in de hutten gekeken. Ik was zo nieuwsgierig. Prachtig, echt heel mooi.'

Haar bewondering was gemeend.

Hij zag dat ze haar muts op de werkbank had gelegd en de sjaal losgeknoopt.

Hij had de mokken op de werkbank gezet en krukken bijgeschoven. De lof raakte hem. Hij zweeg tot hij z'n mok leeg had. Pas toen had hij verteld dat hij z'n hele leven gevaren had.

Ze was geïnteresseerd geweest en had vragen gesteld als haar iets niet duidelijk was.

'Wat een bijzonder leven. Ik heb er nooit bij stilgestaan wat zo'n leven betekent.'

Willem was blij geweest dat het alleen dáárover was gegaan.

'Ik ga weer.' Ze was opgestaan. 'Bedankt.'

'Neem me niet kwalijk. Ik heb alleen maar over mezelf verteld. Het was maar een halve kennismaking.'

'Dan kom je toch eens een keer bij mij op de koffie? Of heb je liever een borrel?'

Haar vragen hadden iets uitdagends gehad. Zo kwamen ze althans bij hem over – waren ze dat of had hij dat gewild?

Hij had geknikt.

Ze had geglimlacht. 'Dat lijkt me gezellig.'

Hij was haar voorgegaan naar de stuurhut en daar had ze hem opnieuw bedankt. 'Niet te lang wachten met komen, hè? Ik heb m'n huis eindelijk klaar.'

Hij had opnieuw geknikt.

Een aardige vrouw, dacht hij toen ze over de kade wegliep. Hij verweet zichzelf dat hij wel over zichzelf verteld had maar niet naar haar had gevraagd. Hij keek haar na, denkend aan Elvira.

25

Op maandagmorgen was hij net zo vroeg op als anders. Hij had Luitjens gezegd dat hij naar de crematie van Schippers ex-vrouw ging en niet zou meewerken. Daarna had hij gegeten en zich verkleed. Om negen uur stopte hij voor de deur van Schipper. Hij bleef in de auto zitten.

Schipper kwam naar buiten. Hij had een overjas aan, die niet dichtgeknoopt was en Willem zag het pak dat hij droeg, het lichtblauwe overhemd en de das. Hij verbaasde zich: dit was een heel andere Schipper dan die hij kende. Zo zag hij er uit als een oudere heer. Schipper was ook naar de kapper geweest.

'Morgen!'

'Naar de kapper geweest?'

Schipper keek opzij. 'Nieuwe broek?'

'Verrek, hoe weet jij dat?' Hij speelde het spel mee.

'Ik kom nog wel eens in Hoogezand, hè?'

Ze hadden elkaar aangekeken en gelachen.

Willem had vermeden te spreken over Schippers besluit naar de crematie te gaan. In plaats daarvan had hij verteld over het werk in de loods en dat de nieuwe buurvrouw was langsgeweest. Willem proefde in de reactie van Schipper dat hij nieuwsgierig was naar zijn oordeel over Marijke Verlinde, maar wat had hij over haar meer kunnen vertellen dan dat ze belangstellend was geweest?

Ze waren al op de snelweg voorbij Assen toen Schipper zei: 'Ik ben nerveus, Bos, hartstikke nerveus. Niet dat ik een begrafenis in het dorp of een crematie in Groningen plezierig vind, maar dit is ver weg voor mij en het ergste is dat ik de mensen niet ken.'

'Je zult Joke en Onne onmiddellijk herkennen.'

'Ik zie op tegen de ontmoeting.'

'Denk je niet dat zij er ook tegen zullen opzien jou te zien? Wat dacht je?'

'Ik ben bang voor een teleurstelling. Ik heb de kinderen zo lang niet gezien. En ik had me ermee verzoend ze niet weer te zien en nu is alles ineens anders. Het is de wereld op z'n kop. Ik weet nog steeds niet of ik er wel goed aan doe te gaan.'

'Met je aanwezigheid laat je in elk geval merken dat jij de banden niet definitief wilt doorsnijden en Joke zou jou niet hebben geïnformeerd als zij geen band voelde.'

'En die Wouter en de vrouw van Onne dan? En dan heb ik ook nog kleinkinderen. Volwassen kleinkinderen waarschijnlijk. Het is allemaal zo vreemd. Dan heb jij het gemakkelijk.'

Willem zweeg. Bleef zwijgen. Hij dacht er aan dat hij geen kinderen had en ook geen kleinkinderen. Dat er na hem niets kwam. Dat er voor hem ouders waren geweest die hij niet miste. Dat hij alleen was. En in hoeverre zelf verkozen? Wat als Katja was blijven leven? Wat als hij verliefd was geraakt op Hanna? En dan was er nog de tijd in Argentinië geweest met Elvira. De ontmoetingen met andere vrouwen waren onbeduidend geweest. Er was geen sprake van liefde, een lichamelijke behoefte was bevredigd, meer niet. Hij had nooit het gevoel gehad dat hij iets gemist had maar door Schippers belevenissen verschoof er iets in het perspectief op het leven dat hij gevoerd had. Hij probeerde het 'wat als' van zich af te schudden, maar de vragen kwamen terug.

'Jij bent iets kwijtgeraakt en vindt misschien iets terug. Ik weet dat je verschrikkelijk kwaad geweest bent en ik zag je boosheid weer terugkomen. Maar jij krijgt nu een kans daar overheen te komen en jij kunt je verheugen. Het hoeft niet maar jij hebt die kans. Ik niet. Ik ben iets voorgoed kwijtgeraakt en kan me nergens meer op verheugen. Jij mag zeggen of ik het gemakkelijker heb.'

Bij het crematorium had Schipper gezegd: 'Zullen we maar zo laat mogelijk naar binnen gaan?'

Willem had geknikt en ze waren op de parkeerplaats in de auto blijven zitten tot ze zich als laatsten aansloten bij de bezoekers. Ze zaten achter in de aula.

Op de wand was een portret van Dina geprojecteerd. Ze leek nog altijd op de vrouw die Willem op de foto op het dressoir bij Schipper had gezien. Op en voor de kist lagen bloemstukken. Een grote kaars brandde. Over de hoofden voor hen heen veronderstelde Willem op de eerste rij de kinderen en kleinkinderen. Er was een vrouw die zich omdraaide en de aula in keek. Joke?

De aula was grotendeels gevuld en vrouwen waren in de meerderheid. Hij had meer aandacht voor de aanwezigen dan voor de muziek. Hij keek tersluiks naar Schipper. Die was gespannen en zat voor op z'n stoel, de handen op z'n dijen. Zweet glom op z'n voorhoofd. Willem dacht aan de twee crematies vijfendertig jaar geleden. Ze waren als in een roes aan hem voorbijgegaan; van de toespraken wist hij zich niets te herinneren. Hij moest zich inspannen om de vrouw die achter het katheder sprak, te kunnen volgen. Dina's leven vanaf haar scheiding werd in herinnering gebracht; hoe zij haar avondstudies met succes afrondde, hoofd van de afdeling welzijnswerk van de gemeente was geworden en nu al weer zeven jaar geleden met pensioen was gegaan.

Een tweede spreekster sprak over de vrouwenbeweging waarin Dina zo'n belangrijke rol had vervuld. Willem vond het wel indrukwekkend maar de nadruk van beide spreeksters op behaalde successen vond hij geforceerd. Met een schok realiseerde hij zich dat de vrouw die daarna met 'Mijn moeder...' begon, Joke moest zijn. Hij herkende Schipper in haar en toen hij opzij keek zag hij dat Schipper z'n hoofd voorovergebogen had.

'Mijn moeder heeft een indrukwekkende loopbaan achter de rug. De moedermavo, de havo, hbo en daarna een met succes afgeronde doctoraalstudie andragogie. Het waren studies die zij grotendeels in haar vrije tijd heeft gevolgd. Haar beroepsleven was al even imposant: van administratieve kracht tot afdelingsdirecteur welzijn. In één generatie haalde zij in wat voor generaties vóór haar niet mogelijk was. Haar vader werkte op een scheepswerf en haar moeder was huisvrouw. Na de lagere school ging zij aan het werk als leerling-verkoopster. Ze trouwde jong en al snel werden Onne en ik kort na elkaar geboren. Wat hiervoor over mijn moeder is gezegd doet haar inspanningen alle recht.'

Joke zweeg alsof ze een aanloop moest nemen of over een drempel heen moest voor ze verder ging. Ze nam een slokje water, keek de aula in alsof ze even steun zocht en ging verder.

'Het is een weg omhoog maar in de laatste maanden van haar ziekte heeft ze de balans van haar leven opgemaakt. Ze heeft zich afgevraagd of die weg de moeite waard was. In onze gesprekken heeft ze erkend dat ze twijfel heeft weggedrukt. Ze verweet zich dat Onne en ik tekort gekomen waren. Alle voorbeelden, die ik noemde van haar liefde en aandacht voor ons hoorde ze dankbaar aan, maar zelf hield ze het gevoel tekort geschoten te zijn. Ze had te nadrukkelijk willen laten zien dat ze zelfstandig wilde zijn en op eigen kracht iets kon bereiken. Ze had te weinig rekening gehouden met de familie: met haar schoonouders bij wie ze na haar trouwen inwoonde, en met haar man. Haar besluit bij hen weg te gaan was wel het begin van een carrière geweest maar niet het einde van haar liefde voor mijn vader. Op het einde van haar leven vroeg ze zich af of dat het maatschappelijk succes waard was geweest – te meer omdat ze mij en Onne onze vader had afgenomen.

'Ik ben veel te rigoureus geweest. Ik heb te veel aan m'n eigen belang gedacht. De ouderen onder u herinneren zich nog wel de bundel opstellen *De moeder van Marie kan meer*. Dina zei dat de moeder van Onne en Joke anders had gekund.'

Joke stopte. Er klonk geroezemoes in de aula. Willem keek naar Schipper die z'n hoofd oprichtte en hem met tranen in de ogen aankeek. Hij dacht: de tocht hierheen is niet vergeefs geweest. Er bestaat nog zoiets als gerechtigheid.

'Principes moet je tegen het licht houden, anders worden het dogma's, zei Dina.' Joke had zichzelf weer in de hand. 'Moeder heeft zichzelf tot het laatst ter discussie gesteld. Ze heeft altijd gezegd dat achter elke berg een nieuwe horizon is. "Je kunt voor een berg stilhouden maar dan ontgaat je het doel," zei ze. "Mijn weg over de bergen was niet de beste" waren haar laatste woorden.'

Joke keek opzij naar de kist, boog het hoofd en richtte zich weer tot de aula.

'Ik dank u namens Onne, onze partners en onze kinderen voor uw aanwezigheid.'

Ze verliet het katheder en liep terug naar haar plaats. Een arm werd om haar schouder gelegd. De muziek zette in. Een medewerkster van het crematorium verzocht de aanwezigen haar te volgen.

'De familie neemt als laatste afscheid.'

Schipper keek Willem radeloos aan.

De eerste aanwezigen kwamen overeind. Er werd naar elkaar geknikt en een hand werd opgestoken. De mensen voor hen schoven langzaam op. Het middenpad vulde zich en de rij schoof langzaam op naar de baar. Willem was gaan staan. Schipper bleef zitten. Willem keek naar de rijen stoelen voor hem die verlaten waren. Op het middenpad nam de drukte af. Willem boog zich voorover naar Schipper.

'We gaan, Schipper. Ik loop met je mee.'

Schipper kwam langzaam overeind. Hij wankelde even en moest de leuning van de stoel voor hem vastgrijpen om op de been te blijven.

Willem greep hem bij de mouw. 'Ik blijf bij je in de buurt,' zei hij.

De aula voor hen was leeg op de voorste rij na waar de familie zat. Op het middenpad ontging het Willem niet dat Schipper die rij opnam en er zijn ogen niet vanaf kon houden.

'Je kinderen en kleinkinderen.'

Alsof hij dat moest bevestigen, herhaalde Schipper: 'Kinderen en kleinkinderen. Ik kan er nog steeds niet bij.'

Als allerlaatsten stonden Schipper en Bos voor de baar. Schipper links van Bos. Nog voor Willem zich wilde omdraaien om door te lopen, merkte hij dat Schipper een ongewone beweging maakte. Willem draaide zich ineens om. Schipper zou toch niet onderuit gaan?

Hij zag dat de dochter die gesproken had, waarvan hij veronderstelde dat het Joke was, Schipper bij de arm vasthield, zich naar hem toedraaide en hem aankeek. Willem zag toen hij doorliep nog even de schrik die Schipper beving maar ook wat een knikje leek en toen hij omkeek zag hij dat vader en dochter tegen elkaar aan gedrukt stonden. Schipper schokschouderde. Ineens waren die twee het middelpunt van de familie. Willem was doorgelopen en had zich achteraf opgesteld om nog niet te hoeven condoleren. Hij zag de familie langzaam binnenkomen met Schipper in het midden. De jonge vrouw rechts van Schipper kon niet de schoondochter zijn. Ze leek te veel op de Dina van de foto. De jonge man links leek op Schipper en was Onne, constateerde hij. Willem zag dat ze op Schipper inpraatten, die hen afwisselend aankeek. Hij kende Schipper goed genoeg om te weten dat die zich ineens zou kunnen omdraaien en weglopen. Ze stonden een ogenblik stil. Hij zag dat Onne met z'n hoofd heftig nee schudde en Joke voor Schipper ging staan, haar handen naar hem uitstrekte. Het leek of Schipper ineenkromp, alsof z'n weerstand brak en hij z'n verzet opgaf. Joke omarmde hem, liet Schipper los, keek de anderen ineens stralend aan en gaf Schipper een arm. Zo stapte ze met hem de ontvangstruimte in. Willem zag de verbaasde blikken van de aanwezigen. Geroezemoes verspreidde zich.

Toen het gezelschap ging zitten verloor Willem hen uit het oog. Hij werd aangesproken en stelde zich voor. Hij had geen behoefte aan een gesprek, ook niet toen iemand zich afvroeg wie die oudere heer bij Joke en Onne was.

Willem hield zich afzijdig van de gesprekjes om hem heen. Hij staarde voor zich uit. Iets in hem raakte in beweging. Hij zag het beeld van Dina weer voor zich en werd zich langzaam bewust van de emotie achter de woorden van Joke. De tragiek van Dina en Jan Schipper was hem ineens duidelijk. Maar daarna doemde onweerstaanbaar iets anders op. Dat verdrong ook de beelden van de crematies van zoveel jaar geleden en brak de weg open naar een gebied dat hij uitgewist had. Hij duizelde toen hij stuitte op Elvira. Elvira, met wie hij in Argentinië had samengeleefd.

Hij hield zich vast aan het hoge tafeltje voor hem. Ik moet op de been blijven, niet vallen. Hij voelde nog dat hij inzakte.

Toen hij weer bijkwam zat hij in een stoel. Om zich heen onderscheidde hij langzaam kleding en toen hij opkeek, zag hij bezorgde gezichten. 'Gaat het weer?' 'Ik heb een glas water voor u.'

'Het was een black out.'

'Ja, dank u.'

Hij dronk het glas met grote teugen leeg. Het zweet brak hem uit. Hij bleef rustig zitten. De consternatie van de omstanders ebde weg. Men hervatte het gesprek. Af en toe keek nog iemand naar hem.

Waardoor was hij van streek geraakt? De beelden van Dina en Elvira wisselden elkaar af. Hij zag geen verband tussen de twee vrouwen. Evenmin tussen Schipper en hem. Hij zag iets over het hoofd. Het moest iets te maken hebben met de relatie tussen Jan en Dina Schipper en hem en Elvira. Hij brak er zich het hoofd over. Was het de ervaring van een te late bekentenis, de nagelaten erkenning van wat ze liever eerder erkend zouden hebben, van een hevige spijt dat iets vervuld had kunnen worden maar niet gebeurd was?

De vrouw die hem een glas water had aangereikt, nam het lege glas weer in ontvangst. Willem kwam overeind. De rij die stond te wachten om te condoleren was nauwelijks korter geworden. Ik hoef me niet te haasten, dacht hij. Hij had nog steeds niet de behoefte zich in de gesprekken om hem heen te mengen. Hij luisterde, hoorde kritiek op Joke Schipper waarin verontwaardiging doorklonk. Hij was het er niet mee eens maar wilde niet de aandacht op zich vestigen en had evenmin de moed het voor haar op te nemen. Hij had willen weten wat andragogie betekende maar liet de vraag achterwege.

'Ik hoorde dat je flauwgevallen was.'

De rij voor de familie was fors ingekort en Schipper was op hem afgelopen.

'Het moet de warmte geweest zijn.'

Het had geen zin de juiste oorzaak te noemen, als hij dat al kon. Hij nam Schipper op. Die had een hoogrode kleur en was nerveus.

'Ik stel je zo voor... aan de kinderen.'

Het was zijn dochter geweest die dat voorkwam. Ze maakte zich los uit de rij en kwam op Willem af. Hij keek beurtelings naar Schipper en diens dochter.

'Ik weet niet wat me overkomt. Het is zo veel tegelijk,' zei Schipper.

'Ik ben Joke van Dam.'

'Willem Bos, de buurman van uw vader.'

Ze stonden besluiteloos bij elkaar.

'Ik ben zo blij dat jullie gekomen zijn. Ik denk dat Dina hier op gehoopt heeft.'

Het ging even door Willem heen dat Dina haar ex nog had kunnen ontmoeten.

Willem keek Schipper aan. 'Wat vind je, zal ik je vanavond ergens afhalen? Dan kun jij met iedereen praten.'

Hij zelf had behoefte tot rust te komen, na te denken. Schipper keek Willem hulpeloos aan.

'Ik ga wel met je mee,' zei Willem. Joke liep terug naar de familie. Schipper volgde haar schoorvoetend.

26

Pas toen de laatste aanwezigen gecondoleerd hadden, liep Willem naar de familie. Schipper sprak met een jongen van een jaar of achttien maar hield op toen Willem aan kwam lopen. Joke liep hem tegemoet en stelde hem voor aan iedereen. Hij kon de namen niet in één keer onthouden. Joke en Wouter, Onne en Marga maar de namen van de jongens ontgingen hem. Het waren van die slungels die een grote mond bij hun vrienden hadden maar hier makke schapen waren. Hij voelde hun ongemak.

Joke nam het woord. 'Het is de bedoeling dat we bij Onne en Marga bij elkaar komen. In Heerenveen,' voegde ze er aan toe. 'Ik zal u het adres en de route geven.'

Joke had de anderen aangekeken. 'Zullen we dan maar?'

In de auto had hij de route ingetoetst. Schipper zat ineengedoken naast hem. Willem keek naar hem. De eerste confrontatie had Schipper doorstaan. Alsof hij de goede afloop wilde garanderen maar ook om zichzelf moed in te spreken, zei hij: 'Je bederft het niet, hoor, Schipper.'

Schipper kwam langzaam bij. 'Wat een mensen! Ze heeft het verder geschopt dan ik.'

Hij praat nog niet over Dina en de kinderen, dacht Willem.

'Het was je te veel hè, Schipper?'

'Ik kan er niet bij, ik kan er nog steeds niet bij.'

Willem was niet doorgegaan. Hij mocht dan wel rijden maar zijn gedachten dwaalden af. Hoe zou het straks in Heerenveen gaan? Er zouden vragen gesteld worden. Er zouden vragen zijn die pijn deden. Misschien waren er verwijten en dan lag de vraag wiens schuld dat was nabij. Intussen dacht hij aan Elvira en stelde hij zichzelf vragen, maakte hij zichzelf verwijten, laat staan dat hij aan de allerlaatste vraag ontkwam: lag het aan hem dat hij en Elvira uit elkaar waren gegaan?

Ze waren de laatsten die in Heerenveen aankwamen. Eén auto stond op de oprit, een andere op de parkeerstrook. Schipper keek Willem aan. 'Het gaat wel goed, Schipper, het gaat vast wel goed.'

Het samenzijn was in het begin gedwongen. Ze zaten in de kamer bijeen. Willem wachtte af. De eersten die zich er aan onttrokken waren de jongens.

'Oma was toch minder een feministe dan veel mensen dachten.'

'Er waren nogal wat mensen boos op je, mam.'

'Je haalde oma van een voetstuk.'

'Een mevrouw van de abortuskliniek was verontwaardigd.'

Joke beet op haar lip. Marga schoot haar bij. 'Je hebt het geweldig gedaan, Jo.'

Wouter viel haar bij: 'Dat kun je mam niet verwijten, jongens. Oma zelf

heeft het mam verteld. De boodschapper krijgt wel vaker op z'n kop.'
Onne stond op en zei: 'Even een sigaret.'
'Ik ga met je mee,' zei Schipper, 'in de auto mocht ik niet roken.' Hij
grimaste.
Willem glimlachte. Hij wist dat de aandacht nu op hem gevestigd was en
toen Onne en Schipper vertrokken waren zei hij: 'Hij heeft het er
vreselijk moeilijk mee. Toen de rouwkaart kwam, zei hij dat hij niet naar
de crematie wilde, maar hij was er wel.' Willem zweeg over zijn rol.
'Wouter vond dat ik de kaart moest sturen. Hij heeft ook gebeld omdat
ik daar nog niet aan toe was.' Joke wreef in haar ogen. 'Mam heeft altijd
van hem gehouden maar wilde niet de eerste stap zetten.'
Met een helderheid die hem zelf verblufte, zei Willem: 'Maar mevrouw
Van Dam, de eerste stappen heeft uw vader al in de maanden na het
vertrek van uw moeder gezet. Hij heeft alles in het werk gesteld haar te
bereiken. Toen heeft hij zich pas goed gerealiseerd hoe veel hij van haar
en jullie hield. Maar uw moeder weigerde elk contact.'
Marga keek geschrokken. Joke huilde nu zacht. De jongens waren ineens
stil. Wouter zei: 'Er valt veel uit te leggen en misschien wel recht te zetten,
meneer Bos.'
'Schipper is een man van weinig woorden; voor hij het achterste van z'n
tong laat zien, bijt hij er eerder het puntje vanaf,' reageerde Willem.
'Wat ben ik blij dat ik dit van vroeger hoor,' zei Marga, 'ikzelf heb steeds
het gevoel gehad dat we er het beste aan deden het verleden te laten
rusten. Als mam niet zelf had aangegeven dat ze twijfelde over haar
besluiten, dan was dat ook zo gegaan.'
Ze waren nog onder de indruk toen Onne en Schipper binnen kwamen.
'Wat een stilte hier.' Schipper keek Willem vragend aan.
'Ik heb,' zei Willem, 'over jou verteld en de anderen over Dina.' Om
Schipper te provoceren vroeg hij: 'En waarover hebben jullie gepraat?'
Willem merkte dat hij Schipper voor het blok zette.
'Onne noemde mij een verrader en ik heb hem gezegd dat ik altijd van
Dina gehouden had maar dat ze mij afwees.'
'Dat heb je,' zei Willem.
'Ik heb m'n woorden teruggenomen,' zei Onne.
Gelijktijdig stonden Marga en Joke op. 'We gaan met het eten aan de

gang. Meneer Bos, u blijft toch eten?'
'Als Schipper blijft, graag!'
De beide vrouwen bleven stokstijf staan. Tot Joke sprak: 'Hij hoort bij de familie.'
Schipper sloeg een hand voor z'n gezicht. 'Dankjewel, Joke,' zei hij nauwelijks hoorbaar.

Aan tafel werd weinig gesproken. Het was of ieder met z'n eigen gedachten bezig was. Willem had Joke en Marga een compliment over het eten gemaakt en ook Schipper had gezegd dat hij in geen tijden zo lekker gegeten had. Het had iets geforceerds gehad. Maar misschien waren die opmerkingen niet meer dan pogingen om een haast drukkende stilte te doorbreken en los te komen van wat ieder bezig hield. Alleen de jongens hadden geprobeerd er zich aan te ontrekken maar ze waren gemaand hun mond te houden en te eten.
Pas na tafel was het gesprek langzaam op gang gekomen. Schipper was een man van weinig woorden. Het waren de jongens geweest die vragen begonnen te stellen, hoewel er een stilte na de eerste vraag gevallen was. Van Willem wisten ze al wel dat deze gevaren had maar ze begrepen wel dat het niet gepast was hem de oren van het hoofd te vragen.
De vraag aan Schipper klonk zo argeloos. 'Ben je nooit verhuisd?'
Het 'je' viel bij Marga verkeerd. 'U zeg je tegen je...' en ineens stokte ze.
'Zullen we maar "opa" zeggen, jongens?' vulde Onne aan.
Er was even consternatie. Dat 'opa' klonk zo vreemd.
Willem keek Schipper aan. Opa Schipper, dacht hij, opa Schipper. Hoe vreemd moest dat de kleinkinderen in de oren klinken en hoe vreemd zou het zijn de kinderen, Joke en Onne in het bijzonder, pap te horen zeggen zoals ze vroeger hadden gedaan. Mam was Dina, maar was Jan even vanzelfsprekend pap?
Schipper schoof ongemakkelijk op z'n stoel en zei: 'Nee, ik ben nooit verhuisd. Ik heb altijd bij de werf gewoond.'
'Wat was je dan? En terwijl Onne z'n zoon aankeek, zei deze: 'Opa?'
'Ik was scheepstimmerman.'
Er viel even een stilte.
'Ik ben nooit anders dan scheepstimmerman geweest.'

Willem keek Schipper aan. Het was geen loopbaan als die van Dina. Als Schipper al wrok had gekend, dan was die van vroeger en mogelijk gesleten maar die kon opnieuw gewekt worden en hem parten gaan spelen.

'Maar jongens, wel een heel goeie scheepstimmerman; hij weet alles, ja, echt alles van het bouwen van een schip.'

Schipper had hem dankbaar aangekeken.

Daarna was het gesprek los gekomen. De jongens hadden zo lang doorgevraagd dat Joke op een gegeven moment zei dat ze opa nu maar even met rust moesten laten.

'Ik ga koffie zetten.'

Terwijl ze koffie dronken, zei Willem, terwijl hij Schipper aankeek, dat Joke haar moeder zo waardig had herdacht en zo openhartig over haar laatste maanden had gesproken.

'Waren jullie zelf daarover niet verrast?'

De vraag was ongemakkelijk, besefte Willem, maar hij zocht een mogelijkheid om Schipper, al was het een late, te late, maar toch, genoegdoening te geven waar deze zelf nooit om gevraagd zou hebben. Joke was duidelijk in de war gebracht. Schipper keek stil toe, in afwachting. Willem merkte Jokes opluchting toen Onne het woord nam.

'We hebben het er over gehad, wij met z'n vieren en hij keek naar Joke, Wouter en Marga of we mam moesten vragen daarover met u,' terwijl hij zich tot Schipper richtte, 'te gaan praten. We besloten dat niet te doen.' Hij had merkbaar moeite zich daarover te uiten. 'Het was gebrek aan... Ik weet, we bleven in gebreke.' Hij keek Joke aan. 'Jij was degene die toen mam overleden was, nadrukkelijk wilde dat u een kaart moest krijgen. Achteraf...'

'Achteraf,' zei Schipper, je had een zweem van minachting kunnen constateren als hij niet ogenblikkelijk daarna doorgegaan was met: 'En dan? Willem heeft me bijna gedwongen vandaag te komen. Als je bij me op de stoep gestaan had...'

'Jou kennende,' zei Willem. 'Maar goed dat dat niet gebeurd is, Jan.'

Er viel een stilte.

'Ik ben blij dat het zo gelopen is en niet anders.' Schipper wreef over z'n wang, pakte een zakdoek en snoot z'n neus.

'Pap,' zei Joke, 'Pap. Het is geweldig.'

Ze zwegen tot Schipper zichzelf weer in de hand had en vroeg: 'Ik weet nog zo veel niet. Ik heb zo veel gemist. Jullie moeten me nog zo veel meer vertellen dan wat ik tot nu toe gehoord heb...'

'Daar hebben we nu alle tijd voor.'

Onne en Joke spraken over Dina, over hun jeugd en hun studies. Over Marga en Wouter, de jongens, hun werk. Het verdriet dat in het begin door het verhaal over de jaren na de scheiding schemerde, verloor z'n scherpte en vervaagde zoals na elke crematie of begrafenis, waar de overledene geleidelijk aan verdwijnt uit de gesprekken van de aanwezigen tot men zich bij het afscheid nemen weer realiseert waarvoor men bijeen was.

Willem had willen luisteren om te horen hoe iets bijeenkomt dat uiteengevallen is, welke posities daarbij ingenomen worden, wie tegenstribbelt of zich verzet, wie meegaat en zich overgeeft, wie reserves houdt en wie van ganser harte instemt. Bij Schipper zag hij de opluchting toenemen, bij Onne de reserves afnemen, van Marga kreeg hij geen beeld en Wouter volgde Joke in haar acceptatie. De jongens waren er het snelste klaar mee. Oma was dood en opa kregen ze terug. Waren hun ouders bezig zich elk op eigen wijze te schikken, zij kregen iets onbekommerds en richtten zich na hun belangstelling voor hun opa steeds meer op Willem, als op een exotische vogel die naar alle windstreken was uitgevlogen. Ja, hij had gevaren, op tankers, zeeslepers en op een onderzoeksschip en hij was op alle continenten geweest maar de interesse van de jongens was vooral uitgegaan naar het seismisch onderzoek langs de kusten van Zuid-Amerika. Dat schip met al die elektronica aan boord, met twee snelle boten op het achterdek terzijde van het helikopterdek, dat schip interesseerde hen. En nu had hij nog een schip op een werfje.

'Cool!'

Willem kende het woord niet maar begreep het wel.

Hij had dus moeten praten en niet kunnen luisteren. Het had hem afgeleid van de vraag hoe hij de brokstukken van z'n eigen leven kon lijmen.

In de avond waren Schipper en Willem vertrokken. Er waren afspraken gemaakt om elkaar weer te ontmoeten. Er was gehuild en gezoend, er waren omhelzingen en handdrukken. De jongens wilden het volgende weekend al wel komen.

Schipper en Willem waren uitgezwaaid.

'Nou, wat zei ik, 't is meegevallen, of niet soms?'

Schipper knikte, nog onder de indruk van de gebeurtenissen. Willem vroeg zich af wat Schipper meer bewoog: de bevestiging van een zinloos bestaan door Dina's late bekentenis en z'n eigen uitgebluste verlangen of het geluk dat hij nooit had kunnen koesteren en hem nu ineens overviel. Hij dacht opnieuw aan wat hemzelf ten deel was gevallen. Katja was hem afgenomen en Elvira... Elvira? Welke rol had hij gespeeld; welke positie had zij ingenomen?

'Waar denk je aan?' vroeg Schipper.

'Wat een dag,' had Willem gezegd.

Hij was aan Elvira blijven denken en kreeg het plotseling koud.

27

Ze waren al dicht bij Buenos Aires toen het hoofdkantoor in Den Haag besliste dat ze moesten doorvaren naar Comodoro Rivadavia. Willem had de bemanning op de hoogte gesteld. Er was teleurstelling geweest. Wat was Comodoro nu vergeleken met Buenos Aires? Een provinciestad. Misschien was wel het belangrijkste bezwaar geweest dat de lagere rangen elkaar er tijdens het passagieren konden tegenkomen terwijl ze het liefst onopgemerkt in het grotestadsleven waren ondergedoken. Met de officieren had hij over Comodoro gepraat. Er woonden misschien evenveel mensen als in Haarlem maar er was een universiteit en dat maakte toch wel iets uit en ach, voor een korter verblijf waren er een golfbaan en stranden. Het hoofdkantoor had een ontvangst geregeld bij de sectie mijnbouw van de universiteit en de golfclub. Vervelen hoefde men zich niet.

'En dan heb ik nog een persoonlijke mededeling. Zoals jullie weten heb ik vijfentwintig jaar gevaren, waarvan de laatste tien jaar bij deze maatschappij. Ik heb het hoofdkantoor gevraagd langdurig verlof te mogen opnemen. Het is mij toegestaan, ook omdat ik de afgelopen vijf jaar vrijwel geen verlof heb gehad. U zult dus zonder mij Comodoro verlaten. De eerste officier wordt voorlopig gezagvoerder. Ten slotte: het hoofdkantoor stuurt de aflossing voor de onderzoekers die naar Holland gaan.'

Er was een stilte gevallen. De eerste officier had het woord gevoerd en hem bedankt. Willem had ieder de hand gegeven.

Vanaf de brug kon hij aan stuurboord de kust zien, in het kielzog waren de armen van het sleepnet met de sondes uitgespreid. Het bodemonderzoek ging gewoon door, met hem of zonder hem, dag en nacht, alleen met minder vaart bij ruw weer. Voor Buenos Aires gaf hij bevel het sleepnet binnen te halen. Pas voorbij de stad zou het onderzoek worden hervat. De stad doemde op in de verte. Bemanningsleden hielden er het oog op. Om hun teleurstelling te temperen had hij in Comodoro Downtown een hotel gereserveerd. Op de wacht na trakteerde hij hen op een afscheidsdiner. Die verrassing wachtte hen in Comodoro.

Hij vroeg zich af of hij nu spijt van zijn beslissing had hier z'n verlof te beginnen. Maar ook in Buenos Aires was hij alleen, ook al kende hij de stad een beetje van eerder bezoek. En wilde hij er per se naartoe, dan kon hij er binnen enkele uren heen vliegen.

Nog een kleine week en ze zouden Comodoro binnenvaren. Het weer was goed. De zon scheen. Er was een aflandige wind. Het was juni en winter in Comodoro. Hij ging er het warmere weer tegemoet en hij verheugde zich er op langs het strand te lopen zoals hij dat in IJmuiden deed of daarvoor in Aiguablava toen hij nog geen huis in IJmuiden had en in het Spaanse huis van Haralds ouders verbleef.

Hij dacht aan Haralds ouders; in de tachtig moesten ze nu zijn. Hij had ze niet altijd tijdens z'n verlof in Aiguablava getroffen, zelfs liever niet meer nadat Sander zei dat Marg hem verwende om hem in bed te krijgen – het was een van de redenen geweest om een huis in Holland te kopen. Als hij er alleen was, nam hij koffie met een broodje in de bar of dronk hij een glas in de namiddag. 's Avonds at hij in de parador boven het dorp. Hij had er mensen leren kennen en zoveel Spaans opgedaan dat hij zich er uiteindelijk mee had kunnen redden. Hij glimlachte als hij dacht aan de oude schoolmeester van het dorp die hem corrigeerde. De man moest dood zijn en met Sander en Marg had hij al jaren geen contact meer. Het lag aan hem. Hij wist het. Hij leefde bij de dag en keek liever niet terug. Hij zag wel wat hij deed in Comodoro. Hij had geen plannen.

'Deel de chief researcher mee dat we het onderzoek over een uur hervatten en het sleepnet uitzetten.'

'Ieder op z'n post.'

Hij liet het commando aan de officieren op de brug over, ging naar beneden, liep langs de kombuis, de eetzaal, de computerruimtes en daalde af naar de machinekamer. Als er iets was aan het schip dat hem nog altijd imponeerde dan was het de machinekamer. Aan dek controleerde hij of de boten en de helikopter gereed waren om ingezet te worden. Hij informeerde ieder en liet zich informeren door ieder. Hij keek uit over zee. Het schip trilde. De zee was glad. De eerste meeuwen volgden het schip. Hij ging naar boven, deed verslag van z'n ronde en nam het bevel weer over.

'Is er nog iets bijzonders?'

'Een verzoek van de universiteit van Comodoro. Of een groep studenten mijnbouw het schip mag bezoeken.'

Hij overlegde met de chief researcher en liet contact met het hoofdkantoor opnemen. Er was geen bezwaar.

'Neem contact op met de Port Authorities van Comodoro. Vertel dat we willen bunkeren, vraag hoe we moeten binnenvaren en welke kade we krijgen.'

Voor ze aanlegden had hij zijn afscheidsdiner en het verblijf in het hotel aangekondigd en z'n laatste instructie gegeven.

'Ieder gaat van boord in uniform.'

Hij had rondgekeken in z'n hut. Al was er weinig persoonlijks toegevoegd aan de inrichting, de ruimte was hem vertrouwd. Na al die jaren wist hij er blindelings de weg te vinden. Hij hield van het mahoniehout waarmee zijn hut betimmerd was. Wat hij zou missen was het ingebouwde tv-toestel en de radio. Hij liep de kasten en laden nog een keer na. Hij kon niets vergeten hebben.

Hij nam afscheid van de wacht en was gelijktijdig met de officieren van boord gegaan. Ze hadden z'n tassen en een koffer van hem overgenomen.

Hij zette voor het eerst van z'n leven voet aan wal in Comodoro.

Eigenlijk hadden ze geen taxi's hoeven nemen. Het hotel bleek op loopafstand. Willem keek uit het raam, luisterde nauwelijks naar z'n collega's die het over de komende dagen hadden. De stad beviel hem en toen hij uitstapte en rondkeek was hij verbaasd over de levendigheid op straat. Hij hoorde het eerste Spaans en het viel hem op hoe slepend het gesproken werd.

Het diner was een succes. Ze hadden hem toegesproken. Van het hoofdkantoor was een bericht dat voorgelezen werd. Voor hem hoefden de loftuitingen niet. Hij zei dat ook en het lokte protest uit.

De daaropvolgende dagen had hij grotendeels met de bemanning doorgebracht. Ze waren naar de golfclub geweest. Er was gedronken en een enkeling had hij moeten waarschuwen. Wie dat wilde, kon een bezoek brengen aan de universiteit. Hij had zich een paar keer van het gezelschap afgezonderd, was op eigen houtje de stad in gegaan, verkende een plek om langer te blijven. Bij de hotelreceptie had hij geïnformeerd. Wilde hij in de drukte blijven dan moest hij de oude binnenstad kiezen, maar verder naar het noorden, in de Barrio General Mosconi was het rustig. Lanen en pleinen zagen er verzorgd uit. Daar was ook de golfclub waar hij was geweest. Waarom zou hij er geen les nemen? Het was een begin om contact te leggen. De wijk lag halverwege de binnenstad en het vliegveld. Als je wilde kon je er heen lopen. De universiteit was nabij.

Hij informeerde naar woonruimte daar. Hij voelde er niet voor met een makelaar in zee te gaan of een advertentie te plaatsen. Liever was hem een informeel contact. Op de golfclub herkende iemand hem van het bezoek met de bemanning. Hij stelde zich voor en vertelde dat hij langere tijd in Comodoro zou blijven en hij vroeg of hij een introductie nodig had om zich als lid aan te melden. Niet dat hij kon golfen maar hij wilde graag les nemen. Hij liet zijn hoteladres achter. Dat hij zoveel mogelijk Spaans gesproken had, was op prijs gesteld. Het bezoek aan de universiteit en de enthousiaste verhalen die daar rondgingen, afkomstig van de studenten die op het schip waren geweest, hadden het pad voor hem geëffend.

De dag dat hij afscheid van de bemanning nam en het schip uitzwaaide, had hij ook z'n eerste golfles. Vanuit z'n hotel liep hij elke namiddag naar de baan, oefende tot de schemering inviel en at daarna op de club. Hij liep weer terug naar z'n hotel, maar werd steeds vaker teruggebracht. Men was nieuwsgierig naar die lange, blonde man, de capitán holandés, en hij had over zichzelf verteld. Terloops liet hij op een avond vallen dat het hotelleven hem minder goed beviel en dat hij wel in de buurt van de club wilde wonen.

'Waar had u gedacht?'

'Ik wandel door de Barrio General Mosconi van en naar m'n hotel en de wijk is plezierig.'

'Het zal moeilijk gaan. De wijk is gewild.'

'Ik zoek niet per se een geheel huis. Misschien ergens een verdieping of een studio.' Hij had aan IJmuiden gedacht waar hij vijftien jaar geleden was gaan wonen. 'Ik heb geen bezwaar tegen pension of half pension.'

In het gezelschap had men elkaar vragend aangekeken. In General Mosconi? Wie? Het ging hem te snel om de onderlinge uitwisseling van mogelijkheden te volgen.

'Maar was er niet, op de hoek van...'

'Ja, die, de dochter was de deur uit.'

'Ik zal nader...'

'Ja, doe dat.'

Hij was nieuwsgierig geweest. Ze hadden een dronk uitgebracht op de goede afloop.

'Nee, geen sigaar, ik rook niet.'

'Ik wil u al vast hartelijk danken,' en had afscheid genomen.

Terwijl hij terugliep had hij op elke hoek naar huizen gekeken.

28

Was het omdat er geen vrouw aan boord was en hij altijd onder mannen verkeerde dat ze indruk op hem had gemaakt of had zij iets bijzonders dat haar van andere vrouwen onderscheidde? Elvira. Nee, zo had hij haar niet genoemd in het begin. Het was eerst Señora Alvárez Beijers geweest, daarna mevrouw Alvárez en ten slotte Elvira.

De dag dat ze op de golfclub haar adres noemden was hij met de bus, zoals hij vaker deed om de stad te leren kennen, naar het zuiden geweest tot aan de olie-industrie. Op de heenreis was de bus lang niet vol geweest maar terug naar het centrum wel, met vrouwen, een paar studenten en ouderen. Op de eindhalte had hij even met de chauffeur gepraat. Er was drukte op straat in de volkswijken en hij had zich verbaasd over de open, groene ruimtes.

Nu hij zich instelde op een langer verblijf keek hij anders naar de stad. In IJmuiden had hij zich eigenlijk nooit thuis gevoeld, al waren er het strand en de haven. Hij had er ook niet altijd z'n verloftijd doorgebracht. Spanje had hem door het warme weer eigenlijk altijd meer aangetrokken. Hij merkte dat de temperatuur langzaam opliep. Op de golfbaan hing hij z'n sweater af en toe al om z'n schouders. In de bus had hij z'n jas losgeknoopt.

Het voelde behaaglijk in de zon toen hij door het centrum slenterde en naar de haven ging. In een bar nam hij koffie met een glas water. Hij keek naar de bedrijvigheid in de haven, zag vrachtwagens met containers passeren. Het was hem vertrouwd en toch was hij nieuwsgierig. Hij wist dat hij pas echt begon te leven als zijn schip een haven verliet en hij weer op volle zee was. Hoezeer hij de stad ook waardeerde. Maar de collega's die teleurgesteld waren geweest dat ze Comodoro moesten aandoen, hadden ongelijk. Hij voelde zich op een aangename manier ontregeld. Voor het eerst drukte het ontbreken van het gareel op het schip niet meer op hem.

Op z'n hotelkamer had hij de zonwering dichtgetrokken en zich op het bed uitgestrekt. Met z'n handen onder het hoofd doezelde hij weg. Toen hij wakker werd, verkleedde hij zich. Hij liep weer naar de golfclub en kon niet nalaten weer naar de hoekhuizen te kijken.

De min of meer vaste groep waarmee hij optrok, doorgaans een glas dronk en af en toe dineerde, maar dan wel in het weekend, stond al op het punt de course op te gaan.

'Straks kom ik nog even bij je langs,' hoorde hij voordat hij zich bij het volgende groepje aansloot.

Op het eind van de middag hoorde hij pas van mevrouw Alvárez Beijers. Terwijl de een hem met William aansprak en de ander met Guillermo en weer een ander Willem probeerde te zeggen – 'Nee, liever geen Bill, heren!' – wachtte hij op degene die hem nog wilde spreken.

'Ik heb een naam voor je.'

Hij had de naam herhaald.

'Ze woont in General Mosconi en heeft een grote kamer met balkon vrij. Haar dochter is gaan studeren in Buenos Aires. Ik ken haar van de universiteit. Ze werkt bij Externe betrekkingen en communicatie. Ze spreekt Engels en nog wat, maar dat weet ik niet meer. Die kamer kwam toevallig ter sprake en toen heb ik jou genoemd. Ze wil wel kennismaken. Ik schrijf haar naam en adres nog even voor je op. Het telefoonnummer zoek ik nog wel uit en zet ik er wel onder.'

'Heb je haar over mij geïnformeerd?'

'Ja,' en ze zei, 'laat meneer me maar bellen.'

Op z'n hotelkamer had hij haar gebeld. Het was een kort, zakelijk, niet al te vriendelijk gesprekje. De stem had vermoeid geklonken. Hij was even uit z'n evenwicht geweest. Dat was wéér het geval toen hij bij haar aanbelde en zij open deed.

Ze maakte indruk. Was het omdat hij haar mooi vond of was het iets meer? Ze had iets ongenaakbaars, iets dat je ook trots kon noemen. Haar bijna zwarte haar viel bijna tot op haar schouders. Een donkerrode band hield het deels samen. Haar huid was getint maar het meest opvallend was haar doordringende blik.

Haar lippen waren rood als de haarband. Ze moest van zijn leeftijd zijn. Ze stak haar hand uit en hij stelde zich voor.

'Wilt u Engels spreken?'

'Ik probeer zo veel mogelijk Spaans te spreken, dus bij voorkeur Spaans.'
Dat beviel haar hoewel ze 'right' zei.

'Komt u binnen.'

Toen hij binnenkwam en zij hem voorging zag hij dat ze haast even groot was als hij. Ze droeg een zwarte jurk met een grijze omslagdoek die in een punt op haar rug lag. Toen ze hem uitnodigde te gaan zitten zag hij pas dat de doek aan de voorzijde bijeengehouden werd door een zilveren speld.

Hij had om zich heen gekeken en zag dat het vertrek schaars gemeubileerd was. De bank, de salontafel, de lage stoelen maar ook de eetkamertafel en de stoelen eromheen waren sober en zakelijk. Zwart overheerste, al waren de gordijnen bordeauxrood. Het enige dat de strenge orde brak waren een grote schaal met een pracht aan bloemen, de stapel boeken en half opengevouwen kranten naast de stoel van z'n gastvrouw en naast een pakje sigaretten en een aansteker, een asbak waarin een paar half opgerookte sigaretten lagen.

'U zoekt dus een kamer. Mijn dochter is gaan studeren en haar kamer is vrij. Maar waar heb ik het over, dat weten we al wel van elkaar. Ik heb mijn collega gevraagd wat voor iemand u bent. Op de golfbaan apprecieert men u.'

'Gracias,' zei hij. 'Ik heb een sabbatical en heb er voor gekozen hier te blijven. Comodoro bevalt me. Ik woon nu in een hotel, een uitstekend hotel, maar ik geef er de voorkeur aan in een huis te wonen waardoor ik aan het, hoe zal ik het noemen, dagelijkse leven kan deelnemen.'

De gastvrouw lachte. 'Bij een vrouw met een volle baan neem je niet aan het dagelijkse leven deel, meneer, eh, meneer...'

'Bos.'

'...meneer Bos.'

Ze greep naar het pakje sigaretten maar bedacht zich. 'Ik weet niet of ik het plezierig vind het alleenzijn op te geven.'

Ze keek hem aan. Hij dacht: ik ben ook op mezelf, ben op m'n privacy gesteld maar hij vroeg zich tegelijkertijd af of ze dat zei om de prijs op te drijven.

'Het is niet de bedoeling dat ik een inbreuk op uw leven pleeg. Ik ben zeker van plan m'n eigen gang te gaan. Ik weet trouwens nog niet goed welke mogelijkheden de stad biedt voor een langer verblijf.'

'Goed, ik zal u de kamer en de badkamer laten zien.'

Hij had rondgekeken en geknikt. Het balkon lag op het oosten. Toen hij er op stapte, zag hij een ligbank en een zonnescherm.

Toen hij zich weer omdraaide stond zijn gastvrouw in de deuropening. Haar vraag was rechtstreeks: 'Hoeveel dacht u te betalen?'

'U bent dus bereid te verhuren?' vroeg hij enigszins overrompeld.

Hij dacht even na en noemde het bedrag dat hij die maand ongeveer aan het hotel en de maaltijden had uitgegeven. 'Half pension,' had hij eraan toegevoegd. Ze had onmiddellijk ingestemd. Had hij te veel geboden? Hij realiseerde zich pas achteraf dat ze dan 's avonds samen zouden eten.

'Dan verwacht ik u aanstaande zaterdag, meneer Bos.'

Op de hoek had hij zich omgedraaid om het huis nog eens te bekijken. Hij had meer oog gehad voor de vrouw die hem nakeek.

29

Ze had hem een sleutel meegegeven toen hij vertrok. Terwijl hij terugliep naar zijn hotel overdacht hij de snelle gang van zaken. Moest hij daar wat achter zoeken? Het bedrag dat hij genoemd had was voor een particulier waarschijnlijk hoog maar als hij aan de kamer, de badkamer en niet te vergeten het balkon dacht, had hij het er voor over. Nu pas viel hem in dat het geen meisjeskamer was, of wat hij zich daarbij voorstelde. Er waren geen posters of snuisterijen. Er was een bed. Een gevulde boeken-kast. Er was een zithoek. Er stond een klein tv-apparaat op de grond. Het duidde er op dat je er een eigen leven kon leiden. Hij vroeg zich af hoe oud de dochter zou zijn. Hij had geen foto's gezien. En er was geen man, althans dat veronderstelde hij.

De receptioniste was een beetje teleurgesteld dat hij z'n vertrek aankon-digde. 'Bevalt ons hotel niet?'

'O zeker,' had hij gezegd, 'maar nu ik langer in Comodoro blijf heb ik liever een woning.'

'En waar gaat u dan heen?' Hij noemde de wijk.

'Dat kan ik me voorstellen.'

'Maakt u de rekening voor me gereed?'

Inpakken was een kwestie van een ogenblik. Hij hoefde nu nog geen voorbereidingen te treffen.

Op de club vertelde hij de volgende dag dat hij de kamer bij mevrouw Alvárez Beijers had.

'Ik heb het al gehoord. Ze was erg in haar nopjes met de huur.'

'Ik wil jou in elk geval bedanken voor je bemiddeling.'

'Wanneer ga je over?'

Met een taxi had hij zich laten brengen. De receptioniste was verguld met de fooi en had z'n vervoer geregeld. Mevrouw was niet thuis geweest. Met z'n bagage voor de deur had hij aangebeld maar toen er niet opengedaan was, had hij de sleutel gepakt.

Het voelde vreemd aan: een leeg huis. Hij had z'n bagage neergezet in de hal en keek even besluiteloos om zich heen. Hij had even in de kamer gekeken. De schaal met bloemen stond er nog en de rommel rond een stoel leek onveranderd. Toen hij naar boven wilde gaan zag hij een briefje op de trap liggen: 'Welkom. Excuus, ik haal boodschappen. E.'

Dat er op z'n komst gerekend was maakte hij op uit de hangkast en het ladekastje die leeg waren. Hij pakte z'n tassen uit. Het was toch wel anders dan in het hotel. Hij moest duidelijk wennen en wat eerst helder en vanzelfsprekend was geweest kreeg iets onbestemds. Nu pas drong tot hem door dat hij met een vrouw onder één dak zou wonen. Hij opende de deur naar het balkon en ging op de bank zitten. Katja – met een schok kwam haar naam naar boven, als een pijnscheut. Hij schrok ervan en keek om zich heen, alsof hij betrapt was. Hij verloor zich in gedachten en realiseerde zich dat zij nu tegen de vijftig zou zijn geweest. Hij kon zich geen vijftigjarige Katja voorstellen. Zij was en bleef altijd vijfentwintig. Zoals Harald. Alleen hijzelf was ouder geworden.

Hij schrok op door gestommel beneden en van bovenaan de trap riep hij dat hij boven was. Daarna zag hij haar en weer was hij even van z'n stuk. Ze was anders gekleed, totaal anders, in jeans en een vest waarvan de kleur overeen kwam met de rode haarband. Zou Katja er nu zo uitgezien hebben?

Ze verontschuldigde zich. 'Ik dacht er niet aan dat ik voortaan niet alleen voor mezelf moet koken maar ook voor u. We moeten het er nog over hebben of er iets is wat u niet graag eet.'

'Ik kom beneden.'

Hun eerste gesprek was vooral over hem gegaan. Hij had graag verteld over de jaren dat hij voer. Hij was op bekend terrein en z'n reserve en onzekerheid tegenover een gesprekspartner die vrouw was en die hij niet kende, speelden niet op. De vraag die zij na zijn verhalen stelde overrompelde hem, omdat hij verwachtte naar z'n afkomst en verleden te worden gevraagd, maar in plaats daarvan hoorde hij: 'Maar wat bewoog u hier een sabbatical door te brengen, niet in Holland maar in Argentinië, niet in Buenos Aires maar in Comodoro?'

Hij keek haar verbluft aan.

'Ik overval u met de vraag. Neemt u me niet kwalijk.'

Na een aarzeling zei hij: 'Ik weet het niet. U vraagt iets waarover ik niet heb nagedacht. Ik heb vijfentwintig jaar gevaren en wilde iets totaal anders. Misschien bedenk ik dat op dit moment. Valt me iets anders niet in. Ik weet het niet. Toen ik van boord ging, dacht ik: ik zie wel, en terwijl ik Comodoro geleidelijk verkende dacht ik: dit is niet z'n slechte plek, laat ik hier blijven.'

Hij wachtte even.

'Een man wordt ouder. Is het m'n leeftijd misschien? Ik ben hier gebleven en het voelt goed, zeker nu ik een kamer heb.'

'En de behoefte aan een gesprekspartner?' vroeg ze wat spottend.

Hij ontweek een reactie op dat 'partner'. 'Ik was gewend leiding te geven, niet om gesprekken te voeren. Bovendien ben je altijd alleen als je in een hiërarchie aan de top staat.'

Hij was verbaasd over z'n openhartigheid. Hij moest weer aan Katja denken: die had hem ook laten praten. Maar het verschil was dat hij nu al een heel leven achter de rug had.

'Gesprekken waren meestal functioneel en doorgaans niet persoonlijk.'

'Hield dat geen verarming in?'

'Desondanks wisten ze verdomd goed wie ik was.' Hij herinnerde zich het afscheid van de bemanning. 'Dat hoeft waardering niet in de weg te staan.' Hij klonk wat gepikeerd.

'Dat begrijp ik. Maar u had niet de behoefte wat meer van uzelf te laten zien?'

'Wat zou dat in mijn geval opgeleverd hebben? Ik denk dat ieder een cocon heeft waarin hij of zij zich inspint.'

'U heeft gelijk. We hebben een onvervreemdbaar recht op iets dat geheel voor onszelf is.' Haar 'we' verraste hem.

'Dus u ook?'

'Ja.'

Ze trok een grens zoals hij die getrokken had en hij wist dat het geen zin had om te vragen wie zij was. Wat ze was bood misschien een opening, zoals hij die geboden had door over z'n werk te vertellen. Ze zou zoals hij een verdergaande opening naar wie zij was afsluiten.

'Ik hoorde dat u hoofd Externe betrekkingen van de universiteit bent. Het is maar een praktische vraag: wat heeft u deze week gedaan?'

Voor het eerst lachte ze. 'Nu ben ik aan de beurt, hè?'

'Na wat ik verteld heb...'

Waarom had ze haar agenda gepakt en de afspraken, ontmoetingen en vergaderingen van die week opgesomd? Was dat om des te nadrukkelijker aan te geven dat hun contact allereerst zakelijk was?

Zijn ironisch bedoelde vraag of ze waardering voelde voor haar werk, had ze wat bits beantwoord: 'Je doet nooit genoeg.'

Ze had niet willen ingaan op zijn vraag wat er aan haar werk schortte. 'Het spijt me.'

'Ik was alleen maar belangstellend.' Hij voelde dat ze hem voor dat antwoord dankbaar was en zweeg.

Hun beider verleden hadden ze niet beroerd. Als hij meer over zichzelf verteld had, zou zij dat dan ook gedaan hebben? Hij schrok er voor terug en zij kennelijk ook.

De dagen kregen voor hem een zekere regelmaat. Als hij 's morgens opstond en naar beneden ging was zij al naar haar werk. Hij had een lange dag alleen voor zich. De wandelingen die hij maakte combineerde hij vaak met ritten met de bus. Haar auto naast de deur werd nauwelijks gebruikt en hij had te weinig vaardigheid om te willen rijden. Hij liep einden langs het strand waar hij steeds meer mensen zag nu het allengs warmer werd. Keerde hij van zo'n morgenwandeling terug dan lunchte hij in de stad. De namiddagen bracht hij geregeld door op de golfbaan; hij dronk er nog wel een glas maar dineerde er niet meer.

Ze waren samen op stap gegaan toen zij een concert noemde. Hij had geaarzeld. Hij had moeten uitleggen dat het niet om de uitnodiging ging. Hij ging graag met haar mee maar hij was in geen vijfentwintig jaar naar een concert geweest. Muziek kwam voor hem uit de radio en voorkeuren, laat staan voorliefdes, had hij niet. 'Vrije tijd heeft voor mij eigenblijk nooit betekenis gehad. Op zee zijn de dagen eender.'
'Heeft u dan geen hobby's?'
'Noemt u eens wat waarmee je je op zee kunt bezighouden.'
Ze had nagedacht. 'Lezen?'
'Ik en lezen?' Hij had gelachen. 'Als ik u zie met uw boeken en kranten, denk ik: hoe komt ze er doorheen. Ik heb nu de vrijheid te gaan en te staan waar ik wil. Het is die beweging waarvan ik geniet.'
Zij had voorgesteld het concert met een wandeling te combineren en daarna had ze hem meegenomen naar een film, een lezing en de schouwburg. Ze maakte hem geleidelijk bekend met haar wereld. Hij trof er mensen die hij niet echt leerde kennen maar wel herkende en hij hoefde steeds minder vaak te vragen wie dat ook weer was. Maar hij leerde háár er ook beter door kennen. Ze werd geaccepteerd en gewaardeerd. Haar charme en het gemak waarmee ze met anderen omging waren onmiskenbaar. Mannen letten op haar. Zouden vrouwen zich gerustgesteld weten nu ze zagen dat ze in gezelschap van een man was? Gebruikte zij hem als schild? Hij wist niet wat hij zelf van haar vond. Ze had iets waardoor hij niet tot haar doordrong. Wel streelde het hem als ze naast hem liep en hij merkte dat men op hen lette. Hij sprak haar echter nog steeds met 'u' aan en gebruikte mevrouw en haar naam voluit. In gedachten noemde hij haar al Elvira.

30

Ze had wel eens haar dochter genoemd en haar naam laten vallen –
Alejandra – alleen wist hij nog steeds niet meer dan dat ze in Buenos
Aires studeerde en uit een gesprekje waarbij hij alleen maar toehoorder
was, had hij begrepen dat ze in het ziekenhuis in Comodoro had
gewerkt.

'Als ze nu niet komt, ga ik naar haar toe. Ik hoor maar af en toe van haar,
schrijven doet ze niet, ik krijg een kaartje met "Ik omhels je, Alejandra"
en dat is het dan.'

Haar ontstemming was voor hem aanleiding naar haar dochter te
vragen.

'Hoe oud is Alejandra eigenlijk?'

'Zesentwintig.'

Hij was even verbaasd: zesentwintig. 'Dan is ze in elk geval geen kind
meer waarover je je zorgen hoeft te maken.'

'U begrijpt het niet.'

Hij onderdrukte de vraag naar wat hij dan niet begreep. 'Wat studeert ze
eigenlijk?'

'Medicijnen.' Haar ontstemming bleef.

Misschien dat zijn vraag te voorbarig was: 'Maar studeer je op die leeftijd
doorgaans niet af?'

'Ja, maar ze wilde nog zo verschrikkelijk graag.'

'Als iemand graag wil...'

'Het moet ook kunnen.'

Het zou kunnen zijn dat ze hem daarom in huis had genomen,
oordeelde hij en tegelijkertijd stelde het hem een beetje teleur dat er een
zakelijke factor was in hun omgang. Hij verdrong die. 'Heeft ze moeite
met de studie?'

'Ja.'

Hij besloot het onderwerp te laten rusten. Elvira was boos en wilde geen
woord meer kwijt.

'Dus u gaat binnenkort naar Buenos Aires? Ik ben er wel eens geweest.

Toen het hoofdkantoor de opdracht gaf door te varen naar Comodoro waren de meesten aan boord teleurgesteld. Die waren liever naar Buenos Aires gegaan. Nu ik hier ben, hoef ik niet meer zo nodig.'

Hij was duidelijk genoeg: hij zou niet met haar mee gaan. Hoe graag hij Alejandra ook zou willen ontmoeten, hij moest wachten tot ze naar Comodoro kwam.

Hij had gehoopt dat Elvira door haar ontstemming meer zou vertellen maar ze beheerste zich. De blos op haar wangen verried dat ze boos en opgewonden was. Het maakte haar mooier... en aantrekkelijker. Ze droeg weer de rode haarband en het rode vest. De jeans waren vervangen door een broek die gebroken wit was en ze droeg rode muilen. Hij bewonderde de manier waarop ze zich kleedde. Ze toonde zelfrespect – meer dan hij en hij grinnikte ineens.

'Waarom lacht u?'

'Ik dacht er aan hoe nonchalant ik me kleed vergeleken met u.'

'Hoe komt u daar nu bij?' Hij merkte dat haar stemming omsloeg.

'U ziet er altijd zo verzorgd uit.'

'U bent complimenteus!'

'U kunt moeilijk ontkennen dat ik er niet geweldig bij loop. Ik moet echt eens naar m'n garderobe kijken. Zoveel heb ik niet meegenomen destijds. Aan boord draag je alleen maar een uniform.'

'We kunnen in de stad wel eens kijken.' Het klonk als een tegemoetkoming.

'Graag,' had hij geantwoord.

Hij keek haar aan. 'Was u boos?'

Ze wachtte lang. 'Alejandra is nog de enige die ik heb.' Daarna had ze gezwegen en hij had niet verder gevraagd.

Zo ingehouden en beheerst als ze was geweest toen het over Alejandra ging, zo levendig, haast uitbundig had ze gereageerd op zijn vraag naar haar naam.

'Dat Beijers in uw naam is geen Spaans; het kon wel Duits of Nederlands zijn.'

'Het eerste, denk ik, Beijers, Bayern, ja. In 1903 zijn na de Tweede Boerenoorlog 600 gezinnen uit Zuid-Afrika naar hier geëmigreerd.'

Ze had een ouderwets fotoalbum gehaald – 'van mijn grootouders' – en vertelde terwijl ze de bladen omsloeg dat de Boeren de oorlog tegen de Britten in 1902 verloren hadden. Dat duizenden mannen gedood waren en tienduizenden vrouwen en kinderen in de concentratiekampen gestorven. Dat de haat tegen de Engelsen groot was. Dat de Boeren hun vrijheid kwijt waren en aan de grond zaten.

'Ze wilden hun bestaan elders opbouwen. Hier was grond in overvloed. Er was al een haven met diep water en mijn overgrootouders Beijers gingen aan land en bleven hier. Ze zetten weer boerderijen op. Het lastige was alleen dat er te weinig water was. Toen ze naar water boorden, boorden ze olie aan. Het eigendom van de olie lag echter bij de staat en de boeren zochten nieuwe gronden om te bebouwen.'

Hij had meer aandacht voor de foto's dan voor de opsomming van historische feiten. De oudste foto's waren bruin verkleurd, latere waren sepia. Het was een verdwenen wereld. Mannen in werkkleding, leunend op schoppen, pompen die opgebouwd werden, jaknikkers, een stoomdorsmachine met mannen en vrouwen die er voor poseerden en portretfoto's die geen emotie verrieden.

'Wat heeft u eigenlijk gestudeerd?' vroeg hij, 'geschiedenis?'

'Nee, rechten, maar geschiedenis interesseert me.'

Als het verleden maar ver genoeg af is, kun je er, dacht hij, levendig over vertellen. Je bent als de dood als het verleden te dichtbij komt.

Hij had haar naar het vliegveld gebracht.

'Laat u de auto hier maar staan. Ik loop straks naar huis terug of ik neem de bus.' In de vertrekhal was het nog niet druk.

'We zijn wel erg vroeg, zal ik kranten voor u halen?'

'Neemt u dan ook sigaretten voor me mee?'

Lezen en roken moesten verslavend zijn. Vanaf de dag dat hij zijn intrek in haar huis genomen had, was de asbak op de grond naast haar stoel vol geweest met peuken en altijd hadden er kranten op de grond gelegen. Hij had er nooit wat van gezegd. Ze las de krant zelfs naast haar bord als ze at. Daarvan had hij in het begin niets gezegd. Maar sedert de keer dat zij had opgekeken van haar krant en hij haar had aangekeken en gezegd had dat ze niet wist hoe lekker de salade was die ze had gemaakt, had ze 'sorry' gezegd en de krant op de grond laten glijden. 'Anders begin ik weer.'

Vanaf dat moment waren ook hun gesprekken op gang gekomen. Hij was begonnen te vertellen wat hij die dag gedaan had, wat hem opgevallen was en had naar haar werk gevraagd. Terwijl hij z'n plezier en soms z'n ergernis over wat hij beleefd had duidelijk liet blijken, hield zij het bij een feitelijk verslag. Zodra hij vroeg of ze een plezierige dag had gehad of dat haar iets was tegengevallen, trok ze zich terug in zichzelf. Hij had daarna niet meer geprobeerd door te vragen. Lang kon ze trouwens haar krant niet in de steek laten. Wanneer hij aan de koffie begon na het eten, stak zij een sigaret op en pakte haar lectuur weer. Hij vroeg zich af of wat hij meemaakte Alejandra ook overkomen was.

Hij kwam terug met de kranten en de sigaretten.

'Ik hoop dat het de goede zijn. Ik was even in twijfel.'

'Ja, het is prima zo.'

'En verheugt u zich op uw dochter en Buenos Aires.'

'Dat weet ik niet.'

Ik had het moeten weten, dacht hij, dat was de verkeerde vraag. 'Haalt Alejandra u op?'

Ze knikte. Hij vroeg niet door.

'En heeft u plannen voor het komende weekend?'

'Ik ga wandelen, golfen en dineren op de club nu ik alleen ben. Ik las over een opening in het museum en vanaf een terras ga ik kijken naar de tangodansers in de Calle San Martin. Misschien tref ik wel een van uw vrienden of kennissen. Ik denk dat het niet zoveel anders zal zijn dan wanneer u en ik het weekend doorbrengen.'

Hij wilde er niet aan toegeven dat hij haar zou missen.

Hij hoorde dat het vertrek van haar vliegtuig werd aangekondigd. 'U moet gaan.'

Ze stond op, pakte haar tas en zei: 'Tot zondagavond.'

'Zul je voorzichtig zijn?'

Ze draaide zich abrupt om. Hij keek haar na. Ze liep gehaast weg. Pas toen ze uit het zicht was, zocht hij de uitgang op. Hij had wel gezegd wat hij allemaal zou doen, wat hij zou kunnen doen, maar het genoegen eraan was ineens weg.

Hij verliet de vertrekhal, aarzelde of hij de bus naar het centrum zou nemen maar besloot te gaan lopen. Hij dacht aan Elvira die haar krant al zou hebben opengeslagen. Elvira die hij voor het eerst niet met 'u' had aangesproken.

31

Vreemd zou het straks zijn. Hij kwam in een leeg huis. In een ander leeg huis dan de eerste keer toen hij wat verloren in de hal had gestaan en had rondgekeken om uiteindelijk naar z'n kamer boven te gaan.

Voor het huis aarzelde hij naar binnen te gaan. Hij had Elvira wel al z'n plannen voor het weekend genoemd maar nu stond hij besluiteloos voor de deur. Wat te doen? Hij had geen zin om thuis alleen te moeten eten, hij wist trouwens ook niet of er iets was om klaar te maken. Elvira had het er niet over gehad, te gehaast als ze na haar werk geweest was om naar het vliegveld te rijden en hij had er niet aan gedacht. Het was te laat om nog te gaan golfen maar als hij naar de club ging kon hij er eten.

Hij trof er een bekende.

'Mevrouw Alvárez is naar haar dochter in Buenos Aires, Antonio.'

'Hoe gaat het met haar?'

'Met de dochter?'

'Ja.'

'Ik weet het niet precies. Ik heb mevrouw Alvárez er over gehoord dat de studie van haar dochter moeizaam gaat.'

'Van Elvira kom je nooit veel te weten. Maar dat zul je wel gemerkt hebben.'

Hij liet zich niet uit de tent lokken. Tijdens hun gezamenlijke maaltijden maar ook als Elvira en hij samen ergens naartoe gingen, had zij gemeden persoonlijke zaken te noemen. 'Ik ben slechts gast.'

Antonio keek hem aan. 'Als ik zo vrij mag zijn... je bent toch, lijkt mij, als ik zie waar jullie samen verschijnen, meer dan een gast, Willem.'

De buitenwereld veronderstelde meer dan waar hij tot nu toe aan had durven toegeven. Hij dacht aan het afscheid nog kort daarvoor.

'Zij is een zelfstandige, trotse, ik zou haast zeggen ongenaakbare vrouw, Antonio.'

'Niettemin.'

'Ze had toch al lang getrouwd kunnen zijn? Hier in Comodoro...'

'Ik geef toe dat een paar mannen het geprobeerd hebben.'

Haar in bed te krijgen, vulde hij in gedachten aan en kreeg het warm.

'Jij kent Elvira langer dan ik, Antonio, wat kun je me over haar vertellen?'

Hij merkte dat de vraag te rechtstreeks was. Het ging door hem heen dat Antonio een van die mannen kon zijn.

Antonio keek hem ongelovig aan: 'Ze heeft jou niets verteld?'

Willem haalde z'n schouders op. 'Nee. Maar ik heb ook niets gevraagd.'

'Ze kwam zo'n vijfentwintig jaar geleden met haar dochtertje naar Comodoro terug. Ze had in Buenos Aires gestudeerd. Het moet aan het eind van het eerste jaar of het begin van het tweede van Generaal Videla geweest zijn.'

Het leek er op dat Antonio het met tegenzin vertelde. Willem vroeg niet verder, in beslag genomen door die tijd: Katja en Harald waren al dood, hij had z'n diploma in Vlissingen gehaald. Hanna had met hem gevreeën en hij was naar zee gegaan. Hij had zich afgesneden van de wereld. Alles waarover Harald hem had verteld was in de vergetelheid geraakt en wat er ver weg in de wereld gebeurde was langs hem heen gegaan. Videla, dat was toch de oud-dictator... hij had iets over huisarrest gehoord of gelezen. Hij moest er z'n best voor doen precies te achterhalen waarom.

'Videla?'

'Het hoofd van de militaire junta.'

'En toen kwam ze hier?'

Willem merkte de opluchting van Antonio. Die spreekt niet graag over het verleden, concludeerde hij uit de gretigheid waarmee hij de vraag beantwoordde. 'Ze kwam terug bij haar ouders, de Beijers. Die zijn trouwens al jaren dood.'

'En toen ging ze werken bij de universiteit?'

'Toen haar dochtertje naar de lagere school ging.'

Jij moet meer weten, veel meer weten, dan je vertelt, dacht Willem.

'Jij woonde toen al in Comodoro?'

'Ja.'

'En waar werkte je?'

Antonio keek hem aan. 'Aan de Generaal Roca, de militaire academie, als docent.'

Willem zweeg. Hij voelde dat hij het verleden moest laten rusten. 'En nu ben je al weer jaren gepensioneerd?'

Antonio knikte.

Hij had Antonio uitgenodigd voor het diner. Ze hadden lang getafeld want Antonio had hem uitgehoord over het zeemansleven. De manier waarop dat was gebeurd had hij niet plezierig gevonden.

Hij had daarom het aanbod van Antonio afgeslagen om naar huis te worden gebracht. Hij had gezegd dat hij liever liep. Voor de club had hij afscheid genomen. Het was donker geworden. Het was niet koud. Vlagen warme wind streken langs hem heen en hij dacht aan de warme zomer die zou komen. Het was te vroeg om naar bed te gaan en dichtbij huis nam hij de bus naar het centrum.

Hij moest denken aan wat Antonio over Elvira had verteld. Videla speelde een rol in het leven van beide. Welke had Antonio niet onthuld maar het lag voor de hand dat als Antonio militair docent was geweest in de tijd van Videla, dat Elvira mogelijk aan de andere kant had gestaan. Vijfentwintig jaar geleden was Antonio een man van middelbare leeftijd geweest. Er zou zich wat tussen Elvira en hem afgespeeld kunnen hebben. Hij huiverde: had hij aan tafel gezeten met een dader en woonde hij onder één dak met een slachtoffer? Namen ze afstand tot hem om dezelfde, hoewel tegengestelde, reden? Beide wilden zich niet laten kennen, voelden zich niet vrij zich te uiten. Hij voelde zich onmachtig en misschien ook wel niet gerechtigd daarin te treden en hij voelde zich voor het eerst in Comodoro buitengesloten.

Het was een vreemd gevoel: in een binnenstad die bruiste van leven-digheid, waar het weekend ingeluid werd, mensen bar in bar uit liepen, de sfeer uitnodigde om te drinken, te feesten en te dansen, passie zinderde waar op straat gedanst werd en waar hij, een lange, blonde man, de aandacht trok van vrouwen – de verstolen aandacht van vrouwen met vriend of man en de openlijke van hen die alleen of in een groepje aan hem voorbijtrokken, die lonkten en lokten – daar was hij alleen.

Hij kon er ineens niet meer tegen. Hij zocht het hotel op waar hij maanden geleden vertrokken was, trof er de receptioniste die hem uitgeschreven had en nam een kamer.

'Komt u weer terug, meneer Bos?'

Het 'meneer Bos' klonk weldadig en hij keek haar dankbaar aan.

'Dat u zich mij nog herinnert.'

Ze bloosde en hij voelde de lust haar te omhelzen, de lijfelijke nabijheid van iemand te voelen. Op hetzelfde moment voelde hij zich beschaamd. Degene naar wie hij verlangde was Elvira. Hij voelde zich even radeloos.

'Gaat het, meneer Bos?'

Hij herstelde zich. 'Jawel, jawel.'

Op z'n kamer zocht hij het koelkastje. Hij bezatte zich en liet zich op het bed vallen. Hij voelde zich ziek als op z'n eerste reis naar Lerwick.

32

Pas toen hij wakker werd had hij zich uitgekleed en gedoucht. Hij had de deken teruggeslagen en was weer gaan liggen. Hij was opnieuw in slaap gevallen en ontwaakte uit een droom waarvan hij geen beelden vasthield, alleen een gevoel van verlatenheid. Hij douchte opnieuw en kleedde zich aan. Het enige dat aan het ochtendritueel ontbrak was het scheren en dat stoorde hem.

Hij checkte laat in de ochtend uit. Achter de receptie stond een jonge man die hij vroeg waar hij een kapper kon vinden. Na het scheren voelde hij zich beter. De warmte op straat was weldadig. Het zou een dag als andere kunnen worden als hem de twijfel wat hij zou gaan doen niet was bekropen. Hij liet het centrum achter zich, dwaalde naar het zuiden van de stad en raakte steeds verder van huis tot zijn aandacht werd getrokken door gejuich. Hij liep een poort door en zag een sportcomplex waar gevoetbald werd. Hij sloot zich aan bij de bezoekers die verder geen aandacht aan hem besteedden. Verloren stond hij voor zich uit te kijken. Het spel ontging hem en toen de wedstrijd afgelopen was, verliet hij tussen de anderen het sportcomplex.

Hij dacht aan Elvira. Die was bij haar dochter, een dochter van zesentwintig, die ook een vader moest hebben, een man die hij niet kende. Had hij eerst verlangd het verleden van Elvira te leren kennen, nu kwam het hem nutteloos voor. Er was voor hem geen toekomst met haar weggelegd. Hij zou over een paar maanden Comodoro moeten verlaten. Of hij van het hoofdkantoor geroepen werd naar Buenos Aires of naar Den Haag: het maakte niet uit. Hij vertrok en zou Elvira verlaten. Hoe zij ook tegenover hem zou staan, zijn liefde was onmogelijk. Met een grimmige woede dacht hij aan de receptioniste die hij op zijn kamer had moeten vragen – aan de gemiste kans zich aan z'n wellust over te geven. Maar daarna kwam weer het beeld van Elvira, die zich abrupt in de vertrekhal had omgedraaid en die hij met intense aandacht had nage-keken, in de hoop dat ze zich nog eens zou omdraaien. Een vrouw op de rug gezien, met zwart haar dat tot op de schouders reikte, met een rode haarband erin, die een rood jasje boven een zwarte broek droeg, op rode schoenen, met kranten in de ene hand en aan de andere een trolley, een elegante vrouw die zich van hem weg haastte en uit z'n leven verdween.

Toen hem de wandeling te lang werd, zocht hij een bushalte om verder naar het zuiden te gaan en toen hij uitstapte vroeg hij de weg naar het Balcón del Paraiso met het panorama op de stad en de haven. De nabij-heid van de zee kalmeerde hem.

Lag zijn bestemming dan toch op zee?

Hij zocht een plaats op een terras met uitzicht op zee en bleef er de verdere middag, bestelde af en toe wat en ging later naar binnen om te eten. Hij vroeg zich af hoe hij de vele uren daar had doorgebracht, toen hij weer teruggereden was naar het centrum.

Het had gevoeld of hij leegliep. Soms traag en langzaam, dan weer snel en nauwelijks waarneembaar waren beelden aan hem voorbijgetrokken. Ze hadden geen emoties opgeroepen zoals eerder gebeurde als hij aan de mensen en de plekken dacht die hij gekend had. Harald en Katja, zijn ouders en Hanna, de redersweduwe, officieren en bemanningsleden, Vlaardingen, Maassluis, Vlissingen, Knokke, IJmuiden, havensteden en schepen waarop hij gevaren had, waren als beelden uit een stomme film – zoals het panorama vanaf het Balcón del Paraiso niets zei.

Tijdens de kilometers langs het strand vanaf het centrum naar huis, met de zee rechts van hem, alleen, in het donker, onder een hemel waarin hij de sterrenbeelden waarnam, hervond hij z'n evenwicht weer enigszins en dacht hij aan de tijd die voor hem lag. Hij moest zichzelf beheersen, gedisciplineerd zijn als aan boord, geen aarzeling of twijfel tonen. Hij vroeg zich wel af of hij het kon opbrengen.

Thuis liep hij rechtstreeks naar boven. Hij opende de balkondeuren, liet de gordijnen open, verkleedde zich, ging op bed liggen en keek naar buiten tot hij in slaap viel.

De zondag had hij op z'n kamer doorgebracht. Z'n pyjama had hij pas vroeg in de middag verruild voor een korte broek en hij was op het balkon onder het zonnescherm gaan zitten. Hij had de radio aangezet en hij hoorde tangomuziek op de achtergrond. Hij begeerde die uren niets meer. Pas toen hij trek in eten kreeg, had hij zich aangekleed, had het huis verlaten en was naar de golfclub gewandeld om iets te eten. Hij trof er weinig leden, de meeste waren op de course. Hij at alleen en toen men binnen kwam lopen en het voller raakte, was hij opgestaan en had zich verontschuldigd.

Hij had opgezien tegen de terugkeer van Elvira.

Hij hoorde de auto voor het huis stoppen. Vanaf het balkon had hij haar zien uitstappen. Er ging een huivering door hem heen. Hij liep snel naar beneden om de deur open te doen.

Elvira drong hem terug, drukte haar trolley met haar knie tegen de muur van de hal en klampte zich aan hem vast. Hij schrok. Ze drukte haar hoofd tegen z'n hals en hij sloeg de armen om haar schouders. Haar lichaam schokte en ze snikte.

'Ik houd je wel vast. Ik laat je niet los,' zei hij.

Ze snikte luider alsof zijn woorden de weg voor nog meer emoties hadden vrijgemaakt. Ze drukte zich vaster tegen hem aan. Hij liet haar met z'n ene arm los en streelde haar haar, haakte achter de haarband die hij naar achteren trok. Hij drukte z'n hoofd tegen het hare, hield het met z'n hand tegen zich aangedrukt. Hij voelde haar tranen in z'n hals.

'Elvira,' zei hij zacht, 'Elvira, wat is er gebeurd?'

Haar snikken werd heviger en haar greep werd niet losser. 'Huil maar, huil maar.' Hij keek naar de muur voor hem, wist zich geen raad met een vrouw die zo van streek was en wachtte.

Toen haar snikken afnam, hief ze haar hoofd op en keek hem met betraande ogen aan. Ze lieten elkaar langzaam los. Ze bracht haar armen omhoog, streek met haar handen over haar ogen en nam z'n hoofd in haar handen. Ze wreef zachtjes over z'n wangen, die nat werden, van haar handen maar ook van zijn tranen.

'Willem, het was vreselijk...' en stokte. Hij kuste haar voorzichtig op haar voorhoofd en drukte haar tegen zich aan.

'Wat is er zo vreselijk, zeg het me dan.'

Ze sloeg haar armen om z'n hals en met haar hoofd op z'n borst zei ze: 'Het lichaam van Eduardo is gevonden... geïdentificeerd. Mijn schoonmoeder heeft gisteren bericht ontvangen.'

Hij verstijfde, was even in de war.

Ze merkte het en zei: 'M'n man.'

Hij haalde diep adem.

Ze keek hem aan. 'Na vijfentwintig jaar. Ik kan het niet bevatten. Ik begrijp het niet, Willem.'

Ze stonden tegenover elkaar. Hij nam haar bij de arm en bracht haar naar de kamer, die er nog net zo uitzag als op de avond van haar vertrek. Ze liep door en trok hem mee naar de slaapkamer waar hij nog nooit geweest was. Hij bleef staan. Elvira liep door en even later hoorde hij water stromen. Ze kwam terug met een handdoek waarmee ze haar handen droogde. De handdoek gooide ze de badkamer in. Ze kwam bij hem staan. Hij zag dat haar ogen opnieuw volliepen met tranen. Hij sloeg z'n arm om haar heen en zij trok hem mee naar het bed. 'Kom bij me liggen.'

Hij schoof tegen haar aan. Ze keken elkaar aan en zij streelde z'n gezicht, volgde de plooien en streek over de rimpels. Hij had z'n hand op haar zij gelegd en volgde de lijn van haar lichaam tot over haar heup.

'Vertel me wat er is gebeurd.'

Haar lippen trilden. 'De brief werd zaterdag per speciale koerier bezorgd en was gericht aan m'n schoonmoeder. Eduardo was gevonden in een groeve en toevalligerwijs opgegraven in verband met de aanleg van een snelweg. Alles in ambtelijke taal, te veel om te herhalen. De stoffelijke resten werden ter beschikking van de familie gesteld. En dan volgde nog iets als een verontschuldiging. Je kunt je niet voorstellen hoe koud zoiets op papier staat.'

Ze slikte voor ze verder ging. 'Alejandra was erbij en ik kon haar niet kwalijk nemen dat zij nogal nuchter reageerde. Haar vader heeft ze nooit gekend en m'n schoonmoeder, die wekelijks op de Plaza de Mayo demonstreerde, was flink, zweeg en zei dat het beter was te weten dan onwetend te blijven. En ik? Ik raakte overstuur.' Ze wreef in haar ogen en wiste haar hand af aan zijn overhemd.

'Je weet na zoveel jaren dat er geen andere boodschap kan komen maar je hebt te lang met de hoop geleefd om daarvan afstand te doen. Ach... en omdat je niets anders hebt, koester je je verdriet, bijt je je erin vast, wil je dat je gevoel niet afstompt, dat je trouw blijft. Je blijft het verleden herhalen. We waren zo gelukkig. Ik was net afgestudeerd en Alejandra was geboren, Eduardo zou zich binnen afzienbare tijd als huisarts vestigen. En toen kwam de junta.'

Ze huilde zachtjes en trok z'n hoofd naar zich toe.

'Je hoeft niet alles te vertellen.'

'We werden op een morgen heel vroeg wakker gemaakt, we lagen nog in bed en sliepen. We hoorden lawaai in het trappenhuis en er werd op deuren gebonsd. We keken elkaar aan, Eduardo schoot in de kleren, wilde via het balkon naar de buren verdwijnen maar werd vanaf de straat ontdekt. "Soldaten en pantserwagens in de straat," zei hij, "we zitten als ratten in de val." Bij ons werd ook op de deur gebonsd. Er werd geschreeuwd open te doen. Met Alejandra op de arm deed ik open. "Je man," werd me toegesnauwd. En ik werd opzij geduwd. Ze vonden Eduardo natuurlijk en namen hem mee. Ik kreeg geen gelegenheid afscheid te nemen. We mochten elkaar niet meer vasthouden. Ik zag hoe hij de trap werd afgedreven en nog probeerde om te kijken. Dat is het laatste wat ik van hem heb gezien. Ik ben even op het balkon geweest en zag dat meerdere mannen bijeengedreven werden. Ik herkende een kameraad. Eduardo heb ik niet meer gezien.'

Ze liet hem los, wierp zich op haar rug, kwam half overeind, trok haar benen op en omklemde ze met haar armen. Hij ging op de rand van het bed zitten, half van haar afgekeerd en wachtte. Het duurde even voor ze naast hem kwam zitten. Ze keek strak voor zich uit, ging op in haar herinneringen.

'Ik wist dat ook ik gevaar liep. Ik kleedde mij en Alejandra aan, stopte paspoorten, wat kleren, geld, andere papieren en een fotoboekje onder in de kinderwagen. Een buurvrouw hielp me de trap af. De straat was leeg toen ik beneden kwam. Ik had een lege boodschappentas bij me om niet op te vallen, haalde onderweg naar m'n schoonmoeder een paar boodschappen. Zij heeft me wekenlang verborgen gehouden. Ze liep de instanties af om naar Eduardo te informeren, zonder resultaat, tot het voor haar gevaarlijk werd. Op een zondag hebben vrienden van haar mij en Alejandra, alsof het een uitstapje was, buiten de stad gebracht en vandaar ben ik naar Comodoro gereisd. Grotendeels met de trein, soms met de bus. Het was een verschrikkelijke reis maar ik kwam veilig bij mijn ouders aan. Die lieve moeder en vader. Ik ben alleen maar bang geweest, verschrikkelijk bang.'

Ze leunde tegen hem aan.

'Ben je moe? Kun je niet beter naar bed gaan?'

'Ik wil nog wat eten.'

Ze hadden samen in de keuken gestaan, voor het eerst, en er bleek meer aan voorraden te zijn dan hij verondersteld had. Op haar aanwijzingen had hij meegeholpen. Zwijgend hadden ze gegeten en toen zij automatisch een sigaret wilde opsteken had hij zijn hand op de hare gelegd, z'n hoofd geschud en hij had haar meegenomen naar haar slaapkamer waar hij toegekeken had hoe ze zich ontkleedde en een nachtjapon aantrok. Ze was in bed gestapt en hij had de deken over haar heen gelegd. 'Probeer te slapen.' Ze had hem met grote ogen aangekeken. 'Toe maar. Morgen moet je weer op je werk zijn.'

'Guillermo.' Hij had haar wang gestreeld en weer gezegd: 'Probeer het.'

Hij had opgeruimd en koffie gezet en toen hij in de kamer achter z'n koffie zat, realiseerde hij zich dat hij haar voor het eerst ontkleed had gezien. Hij had een gevoel dat hij niet kende – verwondering, vertedering en genegenheid waren sterker dan de lust die hij óók voelde.

Hij was naar z'n kamer gegaan en stond in de opening naar het balkon. Het was hem vreemd te moede. Op straat was het stil. De lantaarns brandden. Hij voelde warme wind. In de nachtelijke hemel zag hij het rode licht van een vliegtuig voorbij trekken. Hij huiverde, ging naar binnen, kleedde zich uit en stapte in bed.

Hij werd wakker toen zij bij hem kwam liggen. Ze kroop tegen hem aan en hij sloeg zijn arm om haar heen, vatte haar borst in zijn hand en sliep weer in.

's Morgens was ze weg. Beneden vond hij een briefje dat ze naar haar werk was.

33

Ze had er grauw uitgezien toen ze in de namiddag thuiskwam.

'Hoe ging het vandaag?'

Er was een verandering in haar gedrag. Ze probeerde, merkte hij, weer de rol te spelen die zij altijd tegenover hem had gehad: attent en afstandelijk, vriendelijk en wat hooghartig. Ze had haar kwetsbare kant laten zien, aan haar emotie toegegeven, terwijl ze zich had willen beheersen. Hij herkende z'n eigen gedrag. Maar hij had toegegeven aan z'n gevoel en zou zij dat ook niet doen uiteindelijk? Hij wachtte af en vroeg niet voor een tweede keer hoe het die dag gegaan was.

'Laten we naar een restaurant gaan, dan hoef je niet te koken vanavond.'

'Ik verdraag geen vreemden.'

'Zal ik dan proberen wat te maken? Of... wij samen zoals gisteren?'

Dat was gebeurd en ze hadden samen gegeten. Alleen was hij niet als andere avonden naar boven gegaan. Hij was blijven zitten en zij was gebleven, te moe? Of had ze het niet aangedurfd te zeggen dat ze alleen wilde zijn?

Hij had koffie gezet en toen hij met de kopjes terugkwam in de kamer, zat ze te roken; ze had nog geen krant aangeraakt.

'Hoe ben je die jaren in Comodoro na je vertrek uit Buenos Aires doorgekomen?'

Hij vermeed haar naam te noemen. 'Moest je je hier ook verborgen houden?'

Hij zag dat ze aarzelde hem antwoord te geven. Hij deed of hij geen aandacht aan haar besteedde en alle aandacht voor z'n koffie had.

Toen hij opkeek, zag hij haar nerveus aan haar sigaret trekken.

'Ik wil het graag weten.'

Ze drukte de sigaret uit. Meer voor zichzelf dan tegen hem hoorde hij: 'Ik weet niet of ik jou er... Ze brak de zin af en begon te spreken alsof iets van verre haar bereikte en ze het moest doorgeven.

'Comodoro leek buiten schot te blijven maar mijn ouders waren voorzichtig. Ze wisten dat ze tot de bekendste families behoorden en gerespecteerd werden, maar de connecties die mijn vader op de Militaire Academie had waarschuwden hem niets opvallends te doen. Ik bleef zo veel mogelijk binnenshuis, zorgde voor Alejandra, die niet naar school ging toen ze er aan toe was. Mijn moeder en ik hebben haar leren lezen, schrijven en rekenen. Het was frustrerend: afgestudeerd te zijn en aan het werk te kunnen maar het niet te doen vanwege het gevaar dat ik liep. Ik had m'n ouders verteld dat Eduardo en ik tot een radicale studentengroep hoorden, die... de meesten van hen heb ik nooit weer gezien. Allemaal dood of verdwenen, zoals Eduardo.'

Ze schokte met haar schouders, wreef met de rug van haar hand in haar ogen.

'Heb je op je werk verteld dat Eduardo's stoffelijke resten zijn gevonden?'

'De rector.'

'En je medewerkers?'

Ze schudde haar hoofd. 'Ik loop al jaren tegen een muur van zwijgen op. Na de junta werd het leven weer normaal. Dat wil zeggen: de meelopers deden alsof er niets gebeurd was en je hoefde als slachtoffer niet met je verhaal aan te komen. Het liet de meeste mensen onverschillig. Ik heb me er aan aangepast, deed alsof ik meedeed, maar hield m'n reserve. Ik maakte geen vrienden en wees mannen af. Dat werd me in de loop der jaren zelfs kwalijk genomen, meer kwalijk genomen dan dat ik op hun bescherming tijdens de junta spuugde toen ze er later over begonnen. Gefrustreerde macho's die toen zo'n beetje de held gingen uithangen. Ik heb er m'n ouders verdriet mee gedaan. Zij hadden zo hun best voor mij gedaan.

Terwijl niemand al die jaren maar enige aandacht voor me had, zou ik nu meer aandacht moeten veronderstellen dan waartoe men zich verplicht voelt. Het gaat om mores die voorschrijven dat je meeleeft, niet om echt medeleven. Als ik over Eduardo zou vertellen, zou nauwelijks iemand dat medeleven opbrengen. Ik kan niet tegen leugens en liever bijt ik m'n tong af dan er in mee te gaan, te doen alsof het leven dat we na de junta leidden, normaal en vanzelfsprekend was. Het enige leven dat normaal en vanzelfsprekend was, eindigde toen de junta begon en daarna is het nooit weer in orde gekomen.'

Haar emotie werd haar de baas en ze snikte.

Wat kon hij doen tegen zoveel woede en verdriet?

Ze stond op en liep weg. Hij hoorde de deur van haar slaapkamer.

Hij bleef zitten en langzaam drong tot hem door hoe diep verwond zij was en hoe lang zij al leed. Hoe verstrekkend de invloed van de junta was, als je je ook nog schuil moest houden na z'n val, twintig jaar geleden. Ze was nog steeds op de vlucht en voelde zich nog steeds opgejaagd. Nu pas begreep hij haar gedrag, haar houding tegenover haar collega's. Ze werkte en putte zich uit om zich te bewijzen en om hen de baas te zijn. Haar houding tegenover hem kwam ook in een ander licht te staan. Haar hooghartigheid en trots hingen samen met kwetsbaarheid en angst. Zij wilde geen dupe van hem worden. Ze was nog steeds bezig zich te rechtvaardigen omdat ze zich tekortgedaan wist. Haar opvattingen waren niet erkend en werden dat nog steeds niet.

Zo rechtstreeks was hij nog nooit geconfronteerd met de invloed van de staat op mensen. Hij moest aan Harald denken die steeds weer over politiek was begonnen. Wiens betogen – over rechtvaardigheid en solidariteit, gelijkheid en gelijkwaardigheid, de vrijheid van het westen en de dictatuur in het oosten, gevolgd door een uitleg over het verschil tussen 'Vrijheid van' en 'Vrijheid om' – zich enerzijds afspeelden op theoretisch niveau, anderzijds als het praktisch was vaak verre buitenlanden betroffen.

Harald had zich toch wel vaak bezig gehouden met abstracties. Zaken in eigen land, hij herinnerde zich vaag iets als de aanschaf van straaljagers, waren te banaal om verheven over te kunnen spreken. Hij vroeg zich af hoe Harald zich zou gedragen als hij direct, rechtstreeks met het lijden van Elvira te maken had gehad. Graag had hij Harald nu gehoord, maar die bood nu geen uitkomst. Hij proefde een late voldoening over zijn zwijgen in die jaren. Hij wist toen niet hoe te handelen en nu? Nu evenmin? Als hij tegen haar zou zeggen dat hij van haar hield, luchtte hem dat op omdat hij iets erkende waarvoor hij tot nu toe niet durfde uit te komen. Maar hielp dat haar? Ze had haar kwetsbaarheid en eenzaamheid laten zien, tederheid getoond en hem in bed opgezocht. Misschien had ze veiligheid gezocht, maar liefde? Hij kon niet verwachten dat zij van hem zou houden. Eduardo was in haar gedachten. Ik moet wachten, dacht hij, wachten en er voor zorgen dat ze op de been blijft. Dat ze naar haar werk gaat, haar schoonmoeder troost, haar dochter niet verliest en Eduardo laat herbegraven. Was Harald ooit zo praktisch geweest als nu? Staan voor je directe omgeving was zijn verantwoordelijkheid geweest vanaf het moment dat hij gezagvoerder was geworden. Alleen is het nu meer dan professioneel gedrag, stelde hij vast.

'Zit je hier nu nog?'

'Ja.' Hij dacht er nog steeds aan hoe hij zich tegenover haar zou moeten opstellen.

Ze stond achter hem, legde haar handen op z'n schouders en masseerde met haar duimen z'n nek.

'Waarom ben jij ook niet naar bed gegaan?'

'Ik zat na te denken, over wat jou is overkomen, over mezelf.' Hij vermeed over hen beide te spreken. 'Ik had nog geen slaap. Ik heb te veel gehoord wat ik niet kan loslaten.'

'Ik kan ook niet slapen.' Ze liet hem los, pakte een stoel en ging schuin tegenover hem zitten. Ze droeg de haarband niet meer; haar zwarte haar viel breeduit op haar schouders. Ze was bleek, de lipstick was verwijderd en haar lippen waren bleekrood. Haar ogen schitterden. De panden van haar ochtendjas waren over elkaar geslagen. De revers weken en hij kon de aanzet van haar borsten zien. Hij keek haar aan.

'Je was boos zo straks. En terecht. Boos en verdrietig.' Hij bleef haar aankijken. 'Wat heb je met Alejandra en je schoonmoeder afgesproken? Ga je binnenkort weer naar ze toe? Waar wordt Eduardo begraven?'

Hij wilde haar dwingen zakelijk te zijn maar ze ging er niet op in.

'Ik moet dingen loslaten. Dat lukt me niet. Ik weet dat er zaken aan het schuiven zijn maar waar alles een plek vindt weet ik niet. Ik voel me onzeker. Het is zo vreemd dat Eduardo toen hij verdwenen was altijd bij me bleef en dat hij, nu hij gevonden is, verdwijnt. M'n hoop hangt in het luchtledige. Ik weet niet wat ik nu verwachten kan. Ik maak het mezelf toch niet nodeloos moeilijk?'

'Nee, dat doe je niet. En je bent de laatste die zich iets hoeft te verwijten. Je bent trouw gebleven aan Eduardo. Welke man kan dat van een vrouw verwachten? Je hebt je opvattingen nooit verloochend. Je hebt geprobeerd jezelf te blijven tegen de onderdrukking en de verdrukking in. Dat is toch bewonderenswaardig?'

Hij zag dat ze ontspande. De kleur keerde terug in haar gezicht.

'Ik ben je zo dankbaar. Dat je hier bent, belangstelling voor me hebt, aandacht aan me besteedt, me het naar de zin maakt, zo lief voor me bent... en ik bewaar afstand, hou reserves, terwijl ik...'

'Je hoeft niet te huilen omdat je je tegenover mij tekort voelt schieten. Huil om je verdriet, geef daar maar aan toe.'

Ze stond op, kwam naar hem toe en nam hem bij de hand. 'Ga met me mee.' Het overrompelde hem, maakte hem opgewonden en onzeker.

'Vind je...?'

'Ja,' zei ze.

'Het lukt me niet,' zei hij. Hij lag op z'n rug op haar bed. 'Ik stel je teleur.'

'Het is zo vreemd, Guillermo,' ze lag tegen hem aan, kroelde door z'n borsthaar, liefkoosde z'n buik, nam z'n lid in haar hand en streelde het. 'Na Eduardo is er geen man meer in mijn leven geweest. En nu ben ik zo bedaard alsof alleen al je aanwezigheid voldoende is. Misschien ben ik wel bang na al die jaren, verzet ik me er tegen dat je in me binnen gaat.'

'Ik ben in geen jaren bij een vrouw geweest. Ik zou niet weten hoe je te verleiden.' In z'n zelfspot klonk falen door.

'Je hebt me al verleid.'

'Wie vroeg wie in bed?'

Ze glimlachte. 'Je plaagt me.'

'Voor het eerst lach je.'

Hij draaide zich op z'n zij, greep haar om haar middel en kuste haar. 'Weet je dat ik van je hou?' Wat hij niet had willen zeggen, gebeurde nu toch. Wat hem niet lukte, speelde zij nu klaar. Ze ging op haar rug liggen en trok hem over zich heen. Elvira. Guillermo.

Ze lagen met hun gezichten naar elkaar toe. Hun vingers vlochten zich in elkaar en lieten elkaar weer los. Ze tuitte haar lippen en hij deed haar gretig na. Hun lichamen gloeiden.

'Ik hou van je,' zei hij. 'Toen je bij me wegliep in de vertrekhal wist ik het: je houdt van haar.'

'Wat dacht je dat ik...'

'Zeg het dan.'

'Ik hield daarvoor al van je. Maar ik stond het mezelf niet toe.'

'En ik was in de veronderstelling dat jij je van me afkeerde.'

'Is het niet vreemd dat iets ons weerhield ons uit te spreken?'

Hij knikte. De gedachte die eerder door hem heen gegaan was, dat zijn liefde, hun liefde nu, onmogelijk was, ging weer door hem heen maar hij durfde deze niet tegenover haar uit te spreken. Misschien dat het over-rompelende genot hem weerhield en dat het verlangen daaraan opnieuw toe te geven sterker was dan een rationele afweging van wat de toekomst voor hem, voor hen, inhield. Het schoot door hem heen dat hij laf was dat niet onder ogen te zien en uit te spreken. De situatie was veranderd, anders dan hij gedacht had. Hij kon terugkomen op wat hij eerder vond maar het gevoel knaagde dat hij gehoopt had dat dit zou gebeuren terwijl hij er zich tegen verzette, tegen beter weten in.

Het verscheurde hem en een bittere trek kwam om z'n mond.

Ze merkte dat er iets in hem omging en ze richtte in één keer haar aandacht op hem.

'Heb jij verdriet gekend?'

Ze merkte dat hij schrok van de vraag en herhaalde die om hem de gelegenheid te geven erover na te denken voor hij zou antwoorden. Zijn gedachten waren bij wat er gebeurd was en hij stelde zich de vraag hoe het nu verder met hen ging. Had hij hun liefde niet onmogelijk genoemd? Haar vraag leidde hem af. 'Ja, eenmaal in m'n leven.'

Hij had verteld over Harald, zijn vriend en Katja, diens vriendin, op wie hij verliefd was geworden tijdens een gezamenlijke vakantie en dat die liefde beantwoord was. Hij had z'n vriendschap met Harald verraden doordat hij hem met Katja had bedrogen. Was aan liefde, bedrog en verraad een einde gekomen nadat Harald en Katja verongelukt waren? Het was vijfentwintig jaar geleden en het deed nóg pijn. Niet altijd maar soms vlamde het door hem heen.

'Heb je zoveel van haar gehouden?'

Haar vraag maakte hem van streek. Met Elvira tegen zich aan dacht hij aan Katja en huilde.

'Zoals jij naar Eduardo hebt verlangd, heb ik naar haar verlangd. Vergeefs,' zei hij. 'Vergeefs.' En de angst bekroop hem dat hij van Elvira gescheiden zou worden, dat hij haar zou verraden voor de zee.

34

Ze wisten van elkaar dat zijn sabbatical-jaar eindig was. Ze leefden alsof dat niet het geval was en leidden het leven van een pasgetrouwd paar. Een inbreuk daarop waren de dagen in Buenos Aires geweest.

Eduardo was begraven. Het rouwbeklag had meer Eduardo's moeder dan Elvira en Alejandra gegolden. Het handjevol studievrienden was in aantal overtroffen door de vriendinnen van zijn moeder, die wekelijks voor hun mannen en kinderen in de stad demonstreerden. Alejandra had zich bijna en hij had zich helemaal een buitenstaander gevoeld. Elvira was eerder haar schoonmoeder tot steun geweest dan omgekeerd. Hij had de oude vrouw bewonderd maar medelijden met Elvira gehad, die nauwelijks een rol in de plechtigheid had gespeeld. De paar oude vrienden had ze nauwelijks meer herkend en het gedeelde verleden had met de jaren aan belang ingeboet. Het was niet verder gekomen dan een uitwisseling van informatie over waar men woonde, werkte en of men families had.

Hij had met Alejandra kennisgemaakt en kon er begrip voor opbrengen dat ze die onbekende man, en dan ook nog een buitenlander, koeltjes en met duidelijke argwaan begroet had. Hij voelde dat hij een indringer was. Hij had het Elvira niet verteld nadat hij zag hoe die twee aan elkaar hingen.

Terug in Comodoro hadden ze hun gewone leven weer opgepakt. Elvira ging weer naar haar werk, ze kuste hem als hij wakker was en hij keek naar haar als ze toilet maakte. Hij vond haar lichaam mooi en weersprak haar als ze misprijzend over haar beginnende buikje sprak. Hij at dan samen met haar. Sliep hij nog dan deed ze stilletjes en vertrok zonder hem wakker te maken. Ze liet dan een briefje voor hem achter. Hij liep haar op het einde van de middag tegemoet en ze spraken over wat ze gedaan hadden. Haar werk ging haar gemakkelijker af en ze had het zelfs over collega's die toenadering tot haar zochten. Hij noemde de boodschappen die hij had gedaan en ze had niet geprotesteerd toen hij kranten en boeken had opgeruimd en de asbak had leeggeschud. Voor het eerst van z'n leven was hij de krant uitgebreid gaan lezen, had hij in een boekwinkel naar de afdeling geschiedenis gevraagd. Zij had hem met een boek over de moderne geschiedenis van Argentinië aangetroffen en hem niet laten blijken dat ze verbaasd was geweest. In de vroege avond hadden ze wandelingen gemaakt, plannen voor het weekend besproken. Ze vertoonden zich als paar. Samen gingen ze naar concerten. Ze bezochten af en toe een lezing, troffen mensen die Elvira aanspraken maar nieuwsgierig waren naar hem, tot hij het gevoel kreeg dat hij er min of meer bij hoorde. Hij luisterde, liet Elvira het woord doen. Zij genoot van de aandacht.

Hij sprak als hij met haar alleen was. Hij had minder te vertellen over de jaren op zee dan zij over de jaren onder de dictatuur. Naarmate zij er losser van kwam te staan, beklemde het hem meer. Hij dacht aan de verhalen van de redersvrouw uit IJmuiden, die hem over de oorlogsjaren had verteld, over intriges in het verzet en een nooit opgehelderde rol van de politie bij de Bevrijding. Het waren verhalen uit de tweede hand die hij wel een keer ter sprake bracht maar die te ver af stonden van Elvira's verhalen. Bij de redersvrouw leek het om spannende avonturen te gaan, bij Elvira om angst, doodsangst, waarvan de realiteit maar al te duidelijk was nu steeds vaker naar buiten kwam wat er gebeurd was in de folterkamers van de junta. Hij dacht dat ze nooit zou loskomen van die angst en dat er over haar leven een voortdurende schaduw zou liggen, maar hij sprak het niet uit.

Het dagelijkse leven stond nooit helemaal los van het verleden. Hij nam haar mee naar de golfbaan, waar ze geen lid van was.
'Ik had gewoon geen tijd om uren op de baan door te brengen. M'n werk eiste al m'n tijd op en in de weekends waren er Alejandra en de huishouding.'

Maar in de ontmoeting met Antonio merkte hij haar terughoudendheid.
Later vroeg hij er haar naar.
'Hij was docent op de militaire academie. Die was een bolwerk van de
junta.' Geen woord meer over Antonio. Haar woorden impliceerden wel
dat Antonio aan de andere kant had gestaan.
De enige momenten waarop het heden voor haar z'n alleenrecht
uitoefende, was als ze op het strand waren, in zee zwommen, loom van
de warmte met elkaar praatten, een drankje namen en zij zei dat ze
genoot.
'Aan deze dag mag geen einde komen, Guillermo.' Ze haalde hem aan en
kuste hem.
De beelden van Knokke doemden op, van Katja. Hij zweeg en zij kuste
hem opnieuw. Hij liet zich niet zeggen dat hij een koele minnaar was.
'Wacht maar tot vanavond.'
Katja verdween bij het vooruitzicht. Heel het verleden zou verdwijnen
als ze elkaar in een omhelzing bevredigden, maar er was geen toekomst –
alleen een explosie in het nu, op het ultieme moment.

Hij was wakker geworden van een langzaam aanzwellend en afnemend
geluid dat hij niet kon thuisbrengen. Ineens zat hij rechtop in bed. Hij
was alleen. Elvira was al vertrokken. Een misthoorn. Hij werd bevangen
door onrust. Hij ging uit bed, trok het gordijn open en keek naar buiten.
Mist, dikke mist.
Ineens was hij weer aan boord. Je was waakzaam. Je was altijd op de
brug.
Er was al die jaren nooit wat gebeurd. Niettemin: hoogste alarmfase.
Permanente radarcontrole. Er was overleg met de chief researcher: bleef
het sleepnet voor onderzoek uit of niet? Je was altijd weer opgelucht als
je weer zicht kreeg, flarden mist zag optrekken, als de zee weer zichtbaar
werd en je daarna de horizon in het oog kreeg.
Het was als een fata morgana. Hij stond naar buiten te kijken maar
hoorde zichzelf op de brug bevelen geven. Hij voelde z'n borst zwellen
alsof hij nu ruimte kreeg.
Ineens voelde hij wat hij miste. Het schokte hem.
Hij douchte en kleedde zich aan. Hij at snel een boterham en dronk een

glas melk. Hij moest naar de haven en hij ergerde zich eraan dat hij op de bus naar het centrum moest wachten. Maar eenmaal daar haastte hij zich. In de haven klonk de misthoorn doordringender dan in de Barrio Mosconi. De mist maakte het zicht minimaal. Het geluid van de misthoorn was naargeestig maar de regelmaat ervan was ook weer geruststellend. Andere geluiden werden gedempt. De bedrijvigheid op straat was minder nadrukkelijk, hoewel vrachtwagens met containers af en aan reden. Het was een dag als alle andere. Maar hij besefte: voor hem niet meer. Hij moest met Elvira praten. Met haar praten over wat hij vermeden had en uitgesteld, tegen beter weten in verdrongen.

Hij liep van de haven terug naar het centrum en was verzonken in gedachten. Hij wilde weer naar zee en brak zich er het hoofd over hoe hij dat Elvira moest vertellen. Hij stelde het besluit uit naar huis terug te keren en bleef in de stad hangen. Hij kwelde zichzelf er mee, dat hij als hij weer naar zee ging, Elvira moest verlaten. Hoe moest het dan verder met hen? Het hoofdkantoor zou hem binnenkort bericht sturen wanneer en waar hij z'n werk weer kon hervatten. Hij had geen idee hoe ver het seismisch onderzoek langs de kust was gevorderd, of het voortgezet werd en of hij naar elders op de wereld overgeplaatst zou worden. Hij vroeg zich af of Elvira nagedacht had over de toekomst. Hij zag zo tegen de ontmoeting met haar op dat hij om dat moment uit te stellen besloot om terug naar huis te lopen.

Elvira was ongerust. 'Guillermo, waar bleef je? Ik vond het al zo vreemd dat je de ontbijttafel niet opgeruimd had.'

Hij bleef in de deuropening staan. Ze zag hem staan en vroeg: 'Voel je je niet goed?' Ze liep naar hem toe. 'Kijk me eens aan. Wat mankeert je?'

Hij sloeg z'n armen om haar heen en zei: 'Ik wil weer naar zee.' Het ontglipte hem. Hij voelde hoe ze verstijfde, zich daarna probeerde los te maken, maar hij hield haar vast. 'M'n sabbatical loopt binnenkort af. Ik had het bericht van het hoofdkantoor al verwacht.'

Ze verslapte. 'Ik moet... we moeten erover praten. Het had eerder moeten gebeuren. Het is mijn schuld dat ik het voor me uitgeschoven heb. En ik wil je niet kwijt.'

Ze lieten elkaar los en hij hoorde: 'Ik wilde er ook niet over praten.'

Hij had eerst gesproken en gezegd dat er een kans was dat het onderzoek langs de kust nog niet afgelopen was en dat hij dan tijdens verloven naar haar toe zou kunnen komen maar dat het ook anders kon lopen. 'In dat geval zie ik je minder vaak.'

Hij vroeg zich af of zij zo'n relatie wilde, kwam echter niet aan deze vraag aan haar toe omdat zij vroeg: 'Wil je echt weer naar zee? Je hebt het hier in Comodoro toch naar je zin?'

'Ik heb altijd naar zee gewild en heb altijd gevaren. Ik denk dat ik me blijvend aan de wal op den duur niet thuis zal voelen, doodongelukkig word. Nou ja, als je gepensioneerd wordt, dan moet je, maar dan nog weet ik het niet.'

Ze zweeg en hij ging verder: 'Op zee zal ik ongelukkig zijn want ik mis jou. En aan de wal? Even ongelukkig want dan mis ik de zee.' De wanhoop van de situatie overviel hem. 'In beide gevallen lijd jij er onder. Bovendien: hier heb ik geen inkomen en met mijn opleiding heb ik weinig kans om aan een baan te komen.' Hij noemde z'n huis in IJmuiden en z'n bescheiden vermogen niet. Beide zou hij aanspreken om de ruim tien jaar tot z'n pensioen te overbruggen. 'Ik weet niet wat het ergste is dat ik je kan aandoen. Maar wat vind jij?'

Zij was net zo aangedaan als hij, merkte hij.

'Moet ik nu al antwoord geven? Het overvalt me, al geef ik toe dat ik me op het einde van je sabbatical had moeten instellen. O, Guillermo, nu we zo ver gekomen zijn, kunnen we toch niet meer terug?'

Hij antwoordde niet.

'Ik voel me wanhopig. Laten we zorgen dat we iets te eten krijgen. Ik moet eerst nadenken.'

Zwijgend hadden ze gegeten. Ze hadden zich 's avonds om elkaar heen bewogen, alsof ze hun posities verkenden en nog niet wisten hoe ze elkaar moesten benaderen. Alleen in bed hadden ze dicht bij elkaar gelegen.

'Huil je?'

Hij schokschouderde.

Met verstikte stem vroeg hij: 'Zou jij Comodoro kunnen opgeven?'

Ze kwam met de vraag: 'Ook in het geval als jij op zee zou blijven?'

Het duurde lang voor zij antwoordde. 'Nee. Alejandra zal ik nooit alleen achterlaten, dit is het land waar Eduardo begraven is, mijn schoonmoeder zal het niet begrijpen, de Beijers komen hier vandaan, ik zou m'n hele leven verloochenen. Zonder jou zal ik hier ongelukkig zijn, elders zou ik me nog ongelukkiger voelen.'

De dagen die volgden waren stil geweest. Het was of ze zich beiden in zichzelf terugtrokken. Het leven leek te vertragen en het leek of er tijd gewonnen werd en er nog een alternatief mogelijk zou zijn. De brief van het hoofdkantoor had hun scheiding definitief gemaakt en de tijd in een versnelling gebracht.

Ineens was er het afscheid.

Hij had haar vanuit de taxi nagekeken en zij hem vanuit de deuropening.

35

'Godverdomme,' zei Schipper, 'Wat doe je nou?'

De auto zwenkte plotseling naar rechts – even was er het hoge geluid van de witte streep die gepasseerd werd – maakte een schuiver in de berm en kwam tot stilstand. De motor draaide nog; de koplampen schenen op een sloot; het water lichtte op.

'Ik werd ineens hartstikke koud en m'n hart ging als een razende te keer.' Willem keek verwilderd om zich heen. 'Waar zitten we? Ik ben gewoon de weg kwijt.'

'Jezus, man, in de berm. Ik schrok me kapot. Je had ons dood kunnen rijden.'

Willem boog zich voorover en draaide de contactsleutel om. Stilte, ineens stilte en een volstrekt duister. Hij schoof z'n stoel achteruit en strekte zich uit. Hij sloeg het portier open. Koude lucht kwam naar binnen. Hij wurmde een zakdoek uit z'n broekzak en bette zich het voorhoofd.

'Nu begin ik te zweten.'

Schipper keek hem geschrokken aan. 'Heb je een telefoon bij je? Moeten we geen ambulance bellen?'

Willem wees op het dashboardkastje en schudde tegelijk met z'n hoofd.

'Het gaat weer wat beter; het wordt weer wat gemakkelijker.' Hij keek om zich heen. 'Waar zitten we eigenlijk?'

'We zijn bijna bij het dorp. We zijn net van de snelweg af.'

'Zal ik toch maar niet bellen?'

'Nee, doe maar niet. Als jij het stuur overneemt?' Willem stapte uit, hield zich staande door tegen het portier te leunen. Schipper zette de lampen aan en liep om de auto.

'Gaat het?'

Willem knikte, schoof langs de auto, zag de sloot en zei: 'Ik blijf hier wel even staan, dan kun jij de auto de weg oprijden.'

Schipper stapte in, moest even rondkijken voor hij de motor startte.

'Er komt niks aan, hè?' Hij reed de weg op, stopte en stapte uit om Willem te halen. Die stond wat gebogen.

'Ik kan het wel alleen af.' Voor alle zekerheid bleef Schipper naast hem tot Willem ingestapt was.

'Raar avontuur.'

'Dat kun je wel zeggen. Heb je dit wel eens eerder gehad?'

'Nog nooit, op zee niet, hier niet.'

Schipper reed voorzichtig naar het dorp, sloeg over de brug rechtsaf en draaide af naar de loods.

'Weet je zeker dat ik geen dokter moet bellen?'

'Ja, ik bel zelf wel.'

'Je kunt me altijd bellen. Bedankt voor wat je voor me hebt gedaan, Bos.' Willem liep de loods in en zag dat de verbouwing weer wat opgeschoten was. Het leidde hem even af. Tot hij in z'n stoel neerzakte en pas goed de schrik in de benen kreeg. Daarna kalmeerde hij. Z'n hart was nu weer rustig, hij transpireerde niet meer en z'n temperatuur leek weer normaal. Ik moet eerst maar eens een paar dagen kalm aan doen, die dokter kan wel tot maandag wachten. Voor hij naar bed ging en in slaap viel, kwamen de beelden van de crematie van Dina en de avond bij haar kinderen terug. In z'n droom kreeg Dina de trekken van Elvira en Elvira weer die van Dina. De beelden vervluchtigden bij het ontwaken. Pas toen hij z'n boterham voor het ontbijt smeerde, dacht hij aan z'n hart. Hij voelde zich goed en dat zei hij ook tegen Schipper die 's middags langskwam om te vragen hoe het ging.

Hij had Schipper gevraagd welke huisarts hij had. Die hoefde niet na te denken, al was hij in geen jaren bij de dokter geweest.

'Is het naar je zin dat ik de dokter ga bellen?'
'Je belt natuurlijk niet voor mij, Bos.'

Hij had de dokter gebeld, kreeg een assistente aan de lijn die hij vertelde dat hij uit IJmuiden afkomstig was en hier nog geen huisarts had. Ze had hem ingeschreven en daarna had hij verteld waarvoor hij belde. De assistente vond dat hij meteen moest langskomen. In de wachtkamer had hij even samen gezeten met iemand die in die paar minuten toch nog kans gezien had te weten te komen wie hij was. De naam van de ander zei hem niks.

De dokter nam even de tijd voor hem als nieuwe patiënt. 'Hartklachten, hoorde ik van de assistente.' Hij had systematisch het protocol afgewerkt. 'Geen eendere klachten eerder gehad?'

'Nee, ik ben voor m'n werk periodiek gekeurd en er is nooit wat geconstateerd.'

'Toch stuur ik u door naar het huisartsenlab. De assistente kan wel een afspraak maken. Ik bel u dan wel over de uitslag.'

Schipper was met hem mee geweest naar het lab. 'Het is daar verdomd lastig parkeren. Ik neem de auto wel mee als we er zijn en dan bel je me maar als ik je moet ophalen.'

Ze hadden de rit gecombineerd met een bezoek aan de bouwmarkt.

'Hoe voel je je nu?'

'Het blijft heel gek, Bos. Je bent wat kwijt en je krijgt wat terug en wat je terug krijgt is niet wat je kwijt bent. Het is nog heel verwarrend.'

Hij zweeg en moest denken aan zijn jaar in Comodoro.

'Wat ben je stil. Toch weer je hart?'

'Nee, nee, ik vertel het je misschien nog wel eens.'

Schipper had niet aangedrongen. Hij was nog te vervuld van wat er was gebeurd.

'Die Joke is een prima meid, zeg! En dan die kleinzoons van je. Die zie je hier binnenkort op de werf. Die zijn veel te nieuwsgierig.'

'Jij hebt ze met jouw verhalen natuurlijk opgejut.'

'Geef mij de schuld maar. Man, ze zijn veel te nieuwsgierig naar die opa.'

Natuurlijk wisten ze in de loods ook al weer dat hij naar de huisarts was geweest.

'Van wie heb je dat?' had Willem gevraagd. De man die hem in de wachtkamer van de huisarts had uitgehoord, was weer een bekende geweest.

'De wereld is toch wel verdomde klein hier.'

Ik kan het beter rechtstreeks vertellen in het vervolg, besloot hij. Dus toen hij de uitslag van de dokter kreeg en doorgestuurd was naar het ziekenhuis, had hij het in de pauze verteld. Dat de uitslag van het ziekenhuis gunstig was, had hij met gebak bij de koffie gevierd.

'Het zou toch wel verdomd jammer zijn, als de bouw klaar is en jij tussen zes plankjes naar het kerkhof wordt gedragen,' had Hidde gezegd.

'Ik ben blij dat het jou zou spijten, Hidde, dat had ik niet van je gedacht.' Hidde had een rooie kop gekregen en gezwegen. Luitjens had z'n duim opgestoken en de andere jongens hadden gelachen.

In de nieuwbouw in de loods had hij Luitjens en z'n mannen, 'en neem jullie vrouwen mee,' de buren langs het kanaal en de Wielema's uitgenodigd. Marijke Verlinde was niet thuis geweest. Hij had later een briefje bij haar in de bus gedaan. Willem had Schipper gevraagd of hij z'n kinderen en kleinzoons wilde uitnodigen maar die wilden liever later een keer apart.

'Wat heb ik nodig, Schipper, voor zo'n avond?'

'Bier, veel bier, jenever en cola, kaas en worst, maar je begint met koffie en koek.'

'Dat laat ik wel aan een bedrijf over. Het wordt me te veel om zelf te organiseren.'

'Je moet je toch je haar nog laten knippen voor het feest. Dan vraag je Gerda.'

Hij dacht aan Gerda, herinnerde zich Elvira, kreeg het warm en schudde van nee.

'Ik laat me nog wel knippen maar ik bel wel een bedrijf.' Gerda wilde hij op afstand houden. Knippen was nog tot daar aa toe. Hij was eerder benieuwd of Marijke zou komen.

'Wil je geen muziek?'

'Daar heb ik niet aan gedacht.'

'Ik ken wel een accordeonist en een drummer.'

Hij had geen idee hoe zo'n avond zou verlopen, geen enkel, het was de eerste keer in z'n leven dat hij zoiets organiseerde.

Sterenberg was als eerste gekomen, met Schipper. Willem was blij dat Schipper erbij was want die was misschien wel de enige die met de dove Sterenberg raad wist. Die had hem ook halverwege de avond teut naar huis gebracht toen hij anderen lastigviel.

Ze hadden bloemen voor hem meegebracht die hij in emmers zette en hij had kennisgemaakt met de vrouwen van Luitjens' mannen. Het gezelschap viel min of meer uiteen in zij die plat en zij die Nederlands spraken. Pas later op de avond verscheen Marijke Verlinde, die hem op enige meters afstand kort groette. Willem had haar gevolgd toen ze voorstelde te gaan dansen. De vrouwen waren direct voor geweest. De mannen hadden geaarzeld. Hidde had zich tegenstribbelend geschikt toen Marijke Verlinde hem vroeg en spot van de omstanders uitgelokt. Daarna was ze op Willem afgekomen. Hij had zich verontschuldigd met: 'Ik ben te oud.' Hij had z'n hart als excuus gebruikt. 'Ik moet me nog wat rustig houden.' Hij had haar frons gezien. Ze was bij hem weggelopen en had een andere danspartner gevonden in Luitjens. Hij zag haar dansen en vond zichzelf ineens een domoor. Om haar niet te zien was hij opgestaan, had wat rondgelopen en met ieder wel even gepraat. Met Luitjens die nog nahijgde en zich het zweet van z'n voorhoofd wiste, had hij afspraken gemaakt over de verbouwing van het woongedeelte en met Wielema over de inrichting van het stuk grond met het bosje. Hij had Gerda gevolgd die om de mannen heen draaide en had z'n ogen niet van Marijke kunnen afhouden.

Het jonge stel verdween ongemerkt. 'We moeten morgen vroeg op.' Schipper had niets te veel gezegd: er was stevig gegeten en gedronken. Na z'n rondje was hij gaan zitten. Marijke plofte op de stoel naast hem neer.

'Heerlijk om weer eens te dansen. Dat komt er nooit van.'

Willem zag haar hoogrode kleur, haar haar dat verward was, haar ogen die glansden. Hij schrok van haar: 'Waarom danste je niet met mij?'

'Ik kan niet dansen,' zei hij naar waarheid. 'Ik heb het nooit geleerd.' Hij herinnerde zich de tangodansers in Comodoro. 'Maar ik heb met plezier zitten kijken.' Hij wilde zeggen dat ze goed kon dansen maar hield zich in.

'Jammer!' En onmiddellijk daarna kwam haar vraag. 'Je bent ook niet bij me komen koffiedrinken.'

Hij voelde een vreemde spanning en aarzelde te reageren. Kon hij haar zeggen dat hij een paar keer op het punt gestaan had? Hij kon drukte aanvoeren, maar dat was een uitvlucht. In het ruim waar hij met haar had zitten praten en koffiedrinken had hij zich vertrouwd met haar gevoeld. Het had hem verward.

'Nee,' zei hij en gaf geen toelichting.

'Je hoeft geen verklaring te geven.'

Hij was haar dankbaar voor dat antwoord en keek haar aan. Je moest eens weten, dacht hij en het verleden met de vrouwen die hij had gekend vulde zijn gedachten.

'Maar je komt nog wel een keer.' Het klonk als iets tussen een vraag en een opdracht. Onbevangen keek ze hem aan.

Hij ontweek haar blik niet toen hij reageerde met: 'Ja, graag.' Hij zag haar ogen oplichten.

'Afgesproken. Vind je goed dat ik weer ga dansen?'

Weer volgde hij haar met z'n ogen.

'Marijke,' dacht hij en was verbaasd over zichzelf.

De meesten hadden hem wat onhandig de hand gedrukt toen ze vertrokken. Gerda deed een poging hem te zoenen. Marijke zei tegen hem dat het jammer was dat ze niet gedanst hadden en dat hij van harte welkom was om haar huis te komen bekijken. Hij zag een moment van ergernis bij Gerda toen ze hoorde dat hij zou langskomen.

Hij keek met Schipper rond in de lege ruimte. Hij had afgerekend met de muziek en de cateraar. De laatste auto's waren onder luid getoeter weggereden.

'Die Hidde,' grinnikte Schipper, 'die kan beter timmeren dan dansen.'

'Daar heeft Luitjens hem ook voor aan het werk.'

Ze waren gaan zitten.

'Ik heb het nog met Luitjens en Wielema over het werk gehad.'

'Dat dacht ik al wel.'

'Luitjens wil in één keer door met de verdere verbouwing. Wielema komt langs om te kijken wat we aan het bosje kunnen doen.'

Schipper draaide een sjekkie, stak hem aan en Willem zag hoe zwaar Schipper over de longen rookte: diens borstkas zwol en bij de tweede keer dat hij uitademde zag hij opnieuw rook.

'Wanneer denk je dat Joke en Onne komen?'

'Ik weet het niet. Wel binnenkort.' Schipper zoog weer aan een sjekkie. 'Ik hoorde vanavond dat diezelfde vrouw die hier geweest was toen wij er niet waren, weer op die opvallende fiets in het dorp was. En ze informeerde weer naar jou.'

'Naar mij? Ik heb geen idee wie dat kan zijn.'

Schipper rookte. Willem volgde de rook in de ruimte. 'Je hebt met Marijke Verlinde zitten praten, hè?'

'Ik ga binnenkort bij haar langs.' Zijn antwoord was neutraal

Schipper nam hem even op, wilde iets zeggen maar trok in plaats daarvan aan z'n sjekkie. Hij blies de rook uit en zei: 'Toen we terugkwamen laatst van het huisartsenlaboratorium was je zo stil en toen vroeg ik ernaar. Toen zei je dat je me dat later nog wel eens zou vertellen.'

36

Schipper rookte en Willem vertelde alsof hij zich er nu toe verplicht voelde.

'Ruim tien jaar geleden had ik een sabbatical year,' en toen Schipper opkeek, 'en kon ik er ruim een jaar tussenuit. Ik had vijfentwintig jaar gevaren en tien jaar voor het onderzoek naar olie en gas op zee gezeten. Ik zou in Buenos Aires van boord gaan maar het hoofdkantoor stuurde ons door naar een haven zo'n negenhonderd mijl zuidelijker. Daar heb ik eerst in een hotel gewoond en later bij een alleenstaande weduwe. Ik denk dat ik je dat al wel eens verteld heb.'

Willem vertelde rustig. Het was alsof iets dat bezonken was heel langzaam oploste en weer aan de oppervlakte kwam en zich in z'n volle omvang liet beschouwen. Er kwamen tijdens het vertellen details naar boven die hij vergeten was maar nu de ruimte kregen en zich voluit konden tonen.

'Ik verveel je daarmee toch niet? Want wat zegt het je dat die receptioniste van het hotel een zilveren haarspeld in haar zwarte haar had? Het valt me nu pas in dat het haar mooi stond, mooi maakte.' De details vertraagden het verhaal en het leek of de tijd in Comodoro er langer door werd en een genot gaf dat hij destijds niet geproefd had. De herbeleving was zo sterk dat hij Schipper er bij vergat, dat hij geheel in z'n verhaal opging en Schipper hem moest vragen harder te spreken.

'Heeft ze zo'n indruk op je gemaakt?'

'Eerst niet, het ging geleidelijk.' Hij wijdde uit over Elvira, beschreef haar en viel stil.

Hij dacht aan haar zoals ze haar krant tijdens de maaltijden las, hem een schotel aanreikte om af te drogen, haar bh op haar rug vastgespte, de bandjes op haar schouders recht legde, de bovenkant van haar borsten optrok waardoor ze in de cups pasten, hem 's morgens kuste als hij wakker werd, hem corrigeerde als hij een woord verhaspelde en in het Engels extra uitleg gaf, van het ene been op het andere been ging staan als iemand in een gesprek niet terzake kwam, hoe ze iets door de knieën zakte en staande op één been vliegensvlug een schoen uittrok en daarna de volgende, hoe ze hem door de rook van een sigaret aankeek, haar lippen stiftte, hem aanhaalde, in bed tegen hem aankroop, hoe ze met hem geprobeerd had de tango te dansen, op het strand hem vroeg haar rug in te smeren, van hem wegliep in de vertrekhal – tot Schipper kuchte en hij terugkeerde tot z'n verhaal.

Hij spaarde zichzelf niet en noemde het een ramp dat ze zo uit elkaar gegaan waren. Hij herhaalde wat er gebeurd was maar in de samenvatting veroordeelde hij zichzelf en noemde hij zich schuldig. Niet dat hij z'n geschiedenis herschreef. Voor het eerst overzag hij hun verhouding beter en de kennis van later gaf een andere betekenis of kleur aan een gebaar, een houding, een blik, een opmerking, een gebeurtenis of een situatie.

'Ik hield van haar – meer kan ik er niet over zeggen. Het was gruwelijk haar te verlaten. We wisten van elkaar dat er een moment zou zijn dat we elkaar voor het laatst zouden zien. Ik keek haar na vanuit de taxi die me naar de haven bracht. Haar rode haarband zag ik het langst. Ik was als verdoofd, zag de omgeving die me zo vertrouwd geworden was niet, was me amper bewust van de kade waar de chauffeur me afzette.

Ik werd opgewacht door een snelboot. Het schip lag buitengaats.

De overgang was overweldigend. Vanaf het moment dat ik in de snelboot stapte, was ik weer de kapitein, de gezagvoerder, wiens woord wet was. Ik voelde de zeewind, proefde de zilte lucht, ik stampte mee met de klappen die de boot op de golven maakte, bond m'n pet vast met de kinband en hield me vast aan de reling. De motor gromde, buiswater zocht een weg omhoog.

De bemanning stond aangetreden toen ik aan boord trad. De eerste stuurman heette me welkom en droeg het bevel aan me over. Ik liet drank aanvoeren en bracht een toast uit. Ik richtte m'n hut in en na de wisseling van de wacht ging ik het hele schip door. Ik was weer thuis. Het is onbegrijpelijk, Schipper, wat er met me gebeurde. Ik begrijp het nog steeds niet: hoe je op één dag een vrouw voor een schip kunt verlaten.'

Hij zweeg hoewel zijn verhaal nog niet ten einde was. Was het nodig om Schipper nog meer te vertellen? Diens vertrouwelijkheid had hij toch ruimschoots goedgemaakt?

'De volgende dag zocht ik telefonisch contact met Elvira maar kreeg geen gehoor. De dagen daarop ook niet. Ik dacht: ik wacht tot ze mij belt. Maar dat gebeurde niet. We voeren verder naar het zuiden, keerden bij de Falklands en gingen weer naar het noorden. In de regelmaat van de wachten en het werk kreeg Elvira geen vaste plaats. Er waren nachten dat ik slapeloos was en aan haar dacht en in de beslotenheid van m'n hut haar naam noemde. Ik belde weer – zonder gehoor te krijgen en dacht: ik wacht tot we weer ter hoogte van Comodoro zijn; dan laat ik me aan wal brengen.'

Weer aarzelde hij verder te gaan. Als hij nu z'n verhaal zou beëindigen zou Schipper het gevoel krijgen dat hij wat wilde achterhouden. Dat was niet het geval; hij zag tegen het slot op.

Hij beleefde weer het moment dat hij aan boord van de snelboot stapte en zijn gevoelens voor Elvira plaatsmaakten voor het gevoel thuis te komen. Het had een onbegrijpelijke verandering in hem teweeg gebracht. Nu hij op het punt stond te vertellen dat hij Comodoro zou terugzien en Elvira opzoeken, schrok hij terug. De situatie was nog onbegrijpelijker. Het soort van... heimwee – dat was niet precies het woord waarnaar hij zocht maar een beter schoot hem niet te binnen – na het afscheid was niet te vergelijken met de nachtmerrie waarin hij terechtkwam bij z'n terugkeer. Die had zo'n sterke indruk achtergelaten dat het hem nu, ruim tien jaar later, nóg aangreep en veel sterker was dan de herinnering aan het afscheid enkele maanden eerder. Bijna radeloos keek hij Schipper aan. Zijn stem daalde.

'We trokken een tweede onderzoeksbaan in de extraterritoriale wateren ten oosten van Comodoro en ik liet de helikopter gereedmaken om me naar het vliegveld te brengen. Ik zie me nog de lucht in gaan. Bij het zwenken verdween het schip onder me en tegen de zon in zag ik eerst de contouren van de stad en daarna van dichtbij het centrum waarna de heli naar het vliegveld koers zette. Ik was in gespannen verwachting. Elvira nam me weer helemaal in beslag.

Ik was verbaasd dat twee politieauto's ons opwachtten toen we landden. Toen ik uitstapte werd ik gearresteerd. Ik riep de piloot nog toe dat hij het hoofdkantoor moest informeren en werd toen afgevoerd. Het is nog steeds niet te bevatten wat toen gebeurde. Een uitleg kreeg ik niet en ik deed er het zwijgen toe. Op het commissariaat van politie stelde men mij in staat van beschuldiging. Mevrouw Alvárez Beijers was dood in haar huis gevonden. Dat ik verdacht werd drong nauwelijks tot me door. Elvira was dood, al maanden dood. Men moest me overeind houden omdat ik dreigde te vallen.'

Willem schudde het hoofd. 'Ik dacht dat ik gek werd maar dat word je niet zo gauw. Ik kreeg een glas water en kwam weer bij. Het was een geluk dat ik Spaans sprak. Niettemin vroeg ik om een tolk die ik niet kreeg. Ze vonden m'n Spaans goed genoeg, zeiden ze.'

Hij werd rustig onder het vertellen.

'Het was een mallemolen waarin ik terechtkwam. Voor mijn gevoel bemoeiden zich er ook te veel mensen mee. Ik wilde een advocaat en in afwachting van hem wilde ik geen verklaring afleggen. Had ik niet in Comodoro gewoond en veel mensen leren kennen en was ik een Engelsman geweest, dan was m'n positie bij voorbaat zwak geweest. Een advocaat werd me toegewezen. Ik kende hem vaag van de golfbaan, herinnerde hem daaraan en noemde de namen van de rector van de universiteit, een docent van de militaire academie en wat kennissen van

Elvira. Ik vertelde hem van mijn relatie tot Elvira. Het ging hem om wat zich in de laatste dagen van mijn verblijf in Comodoro had afgespeeld. We kwamen tot de conclusie dat de taxichauffeur die mij had weggebracht, Elvira had gezien en mij kon vrijpleiten.

'Ik houd het op suïcide van mevrouw,' zei hij. Hij zegde toe de ambassade in Buenos Aires en het hoofdkantoor in Den Haag op de hoogte te brengen. Z'n zakelijkheid onthutste me.

Ik wachtte af, werd hoffelijk behandeld maar moest wel de nacht in de cel doorbrengen.

Die nacht was vreselijk. Aan m'n lot overgelaten dacht ik aan Elvira, die ik verlaten had en die mij verlaten had.

Op vragen naar het 'waarom' krijg je geen uitsluitsel en zinnen die met 'als...' beginnen hebben geen voortzetting of kennen te veel onzekerheden om een conclusie te kunnen trekken. Ik wist alleen dat ik tekortgeschoten was, gruwelijk tekortgeschoten.

In de loop van de volgende middag werd ik vrijgelaten. De taxichauffeur was gevonden en had verklaard Elvira te hebben gezien.

Ik heb jarenlang dromen en soms een nachtmerrie gehad waarin m'n leven met Elvira zich herhaalde en ik dwangmatig varianten beleefde van haar laatste dagen en uren. Dan zag ik haar door het huis heen en weer lopen, geen telefoon opnemen, weer roken, te veel drinken, roepen en neerzakken in vertwijfeling. Alleen haar laatste moment weigerde m'n droom in te vullen.

De advocaat stuurde me later het dossier toe. Ik bespaar je het verslag van de lijkschouwer. Het bleek dat Alejandra aangifte van de vermissing van haar moeder had gedaan. De politie had de voordeur opengebroken en Elvira gevonden. Alejandra is naar Comodoro gekomen en heeft bij de politie een verklaring afgelegd. Haar suggestie dat ik...', hij slikte, 'de dader kon zijn, leidde tot m'n arrestatie. Niet dat Alejandra me mocht, maar dat te lezen was een klap. Van haar heb ik nooit meer gehoord. Ik had haar kunnen vertellen dat haar moeder bij mij gelukkig was geweest. Dat was me niet gegund.

Soms denk ik nog aan Elvira; dan slaan de vlammen me uit. Jij bent de eerste met wie ik er over spreek. Alles komt weer tevoorschijn en niets kun je ongedaan maken. Ik heb alleen een herinnering: een zoete en een

pijnlijke. Ik heb Elvira, jij hebt Dina.'
Ze stonden beide op en gingen zonder nog een woord te zeggen uiteen.

37

De betimmering van het schip vorderde ineens zo snel dat de afronding nabij was. Toen het eenmaal zo ver was, kostte het gek genoeg weer meer tijd dan verwacht. Schipper en Willem liepen ruimte na ruimte na, controleerden de installaties en hoewel het niet nodig was omdat het niet de bedoeling was met het schip te gaan varen, wilde Willem dat de motor gebruikt kon worden. Terwijl een buitenstaander op het eerste gezicht de indruk kreeg dat de vertimmering af was, zagen Willem en Schipper toch weer onvolkomenheden. Of was het omdat ze niet graag klaar wilden zijn, omdat het werk hen zo beviel?

Willem had een fles Berenburger en twee glaasjes uit de loods gehaald.

'Nu al aan de drank?' hadden de bouwvakkers gevraagd die binnen aan het werk waren.

'Jullie beurt komt nog wel.'

Ze zaten in de stuurhut. Willem had de glaasjes vol geschonken en ze hadden op het schip getoast. Schipper sloeg z'n glas in één keer achterover en vroeg direct een tweede. Willem dronk met kleine teugjes.

'Tevreden?'

Willem knikte. 'Dit is een mooi plekje. Je zit hier hoog, kijkt op het water en op de kade.' Hij keek naar buiten. 'Het enige wat er nu nog te doen is, is het inrichten. Matrassen en beddengoed voor de hutten, keukengerei voor de kombuis, tafels en stoelen voor de salon, een eetkamer- en een woonkamerdeel. En dan kan het in de verhuur.'

'Ik weet wel een adres.'

'Zonder jou...'

Schipper grijnsde breeduit.

'We zouden Joke en Onne en hun gezinnen kunnen uitnodigen als eerste gasten – om het schip in te wijden. Wat vind je?'

Schipper had de kinderen en kleinzoons op bezoek gehad. Ze waren op de werf geweest en Willem had bij Schipper gegeten. Het huis was krap geweest met zoveel mensen. Schipper had stoelen van hem moeten lenen maar had niet anders gewild. Het was maar goed dat Joke en Marga zich met het eten hadden bemoeid. Voor Schipper was het geen doen. Hij had nog nooit voor tien mensen gekookt en het graag overgedragen.

Niet alleen Schipper genoot, Willem ook.

Beide hadden een moeilijk moment gehad. Schipper toen Joke met de trouw-ring van Dina kwam. Hij had er mee in de hand gestaan, niet wetend wat te doen. Hij keek naar de ring die hij haar vijftig jaar geleden gegeven had. Toen pas had Willem gezien dat Schipper een trouwring droeg. Het was hem nooit opgevallen. Er was plots een stilte gevallen.

'Nou, opa.'

Schipper had iedereen aangekeken. Willem voelde de spanning. Schipper nam de ring tussen duim en wijsvinger en schoof hem om de vinger van de andere hand. Joke had het er te kwaad mee.

'Daar hoef je toch niet om te huilen, mam?'

Joke was op haar vader afgelopen en omhelsde hem.

Onne riep: 'Daar moet op gedronken worden.' De spanning was geweken en er werd gelachen.

De kleinzoons kenden minder schroom. Ze zaten al gauw bij Willem en vroegen hem uit over z'n leven op zee. De knul die 'nou, opa,' had geroepen, had hem gevraagd of hij nooit getrouwd geweest was. De vraag bereikte ook de anderen en Schipper had Willem aangekeken en even met z'n mond getrokken.

'Nee, daar heb ik nooit tijd voor gehad; ik was altijd weg.'

Onne had z'n zoon gewaarschuwd. 'Dat vraag je niet, joh.'

Maar ieder had gemerkt dat de vraag hem geraakt had. Schipper had voorgesteld om het schip te gaan bekijken en de jongens waren hun jassen gaan halen. Willems opluchting was groot. Elvira was daarna in zijn gedachten gebleven.

'Ik denk dat ze het geweldig vinden om uitgenodigd te worden,' zei Schipper.

'Dan moeten we nu maar naar die woninginrichter van jou.'

'Neem je schaatsen mee.' Willem had Joke aan de lijn gehad. 'Het kanaal ligt dicht en er wordt op geschaatst.'

Hij had niet geschaatst, Schipper wel. Hij had het ijs gekapt en het schip vrij gemaakt. Aan boord had hij warme chocolademelk in een ketel en koek klaar staan en de hele meute was aan boord geklommen en ze hadden met de handen om de hete mokken zitten drinken. Schipper glunderde. Niet dat Willem hem benijdde maar hij voelde wat schrijnen, hoewel de familie hem opgenomen had. Het lange weekend was gezellig geweest. Zo kon het dus ook, had hij met verwondering vastgesteld. Hij had aan Vlaardingen moeten terugdenken.

Schipper en Willem hadden de kantine in gebruik genomen en een bord langs het kanaal gezet dat er een koek en zopie was. Sommige schaatsers waren gestopt, binnengekomen en hadden vragen gesteld. Willem had de eerste afspraken gemaakt voor onderhoud en winterberging.
'Schipper, er blijft werk aan de winkel.'
Hoe snel de reclame voor de werf rond ging, bleek na de winter. De mensen waren nu met de auto gekomen en lieten zich informeren.
Het was niet praktisch in de gereedgekomen kantine te gaan wonen in afwachting van de verbouwing van het woongedeelte. Die werd al gebruikt om bezoekers te ontvangen. Op suggestie van Luitjens had Willem z'n inboedel in de loods ondergebracht en was tijdelijk op het schip gaan wonen. De verbouwing van het woongedeelte was vlot klaar geweest. Hij had er met Luitjens en z'n mannen op gedronken.
Het had wel wat, wonen op het water. Het voorjaar kwam er aan. Als hij in de stuurhut zat, hoog boven het water en de kade had hij een weids uitzicht. De populieren waren van teer groen donkergroen geworden toen het blad kwam, het licht dat brak op het water dat in voortdurende beweging was schitterde, en het water wisselde van kleur als er bewolking voorbij dreef. De vogels waren weer teruggekomen. Het had hem wel wat moeite gekost het schip te verlaten en z'n woning in de loods te betrekken. Willem had Schipper betrokken in de plannen: voor het onderhoud, de winterberging en de verhuur van het schip. Er waren liefhebbers genoeg voor de weinige plekken. Misschien dat juist daarom de aantrekkelijkheid zo groot was. Hij had mensen moeten teleurstellen. Willem had met Schipper open kaart gespeeld. 'Je werkt hier bijna alle dagen en ik vraag me wel eens af of je dat volhoudt. Je hoort niet meer

bij de jongsten.'

Schipper had geprotesteerd. 'Ik voel me beter dan in jaren.'

'En dan de financiën. De werf wordt een bedrijf, een onderneming en dat betekent dat veel formeel geregeld moet worden. Moet ik jou geen contract aanbieden?'

'Wat mij betreft ga ik op de oude voet door en jij regelt het maar.'

38

De voorzomer had iets van een idylle.

Willem zat weer op z'n bank voor de loods. Hij moest denken aan de tijd die hij in Comodoro en met Elvira had doorgebracht. De zorgeloosheid en onbekommerdheid van het begin, als hij door de stad slenterde, koffie in een bar dronk, uren in de haven doorbracht, langs het strand liep en op blote voeten door het water stapte, op de golfbaan was en met z'n clubgenoten dineerde. De periode daarna, de uren met Elvira, aan tafel, zij met haar krant, de avonden, met haar samen naar een bijeenkomst of concert, de nachten dat ze met elkaar sliepen, de maanden waarin het leven vervuld was en hij niets meer hoefde. Hij had liefgehad, nog nooit eerder zo liefgehad. Hij wilde niet aan hun scheiding en aan haar einde denken. Het was allemaal gebeurd, het had zo moeten lopen en de rust die hij nu had wilde hij bewaren.

Hij wist dat hij berustte. Er was weemoed; hij wilde eigenlijk niets meer van het leven dan op deze plek met een paar mensen die hij kende en vertrouwde doen wat hem aanstond, ver van de wereld, als op zee, waar het bestaan eenzelfde eenvoud had. Hij had geen andere idealen of hooggestemde verwachtingen. Hij had nauwelijks meer interesse voor wat buiten dit wereldje gebeurde. Hier kon hij nog iets regelen. Daarbuiten niets. Harald schoot hem te binnen, die altijd met hem over verre buitenlanden had gesproken. De wereld had doorgedraaid en was doorgedraaid. Wat zou Harald, die altijd dacht dat er ingegrepen kon worden, van de wereld van nu denken en van hem, die altijd afstand had gehouden? Die berusting zou Harald als een nederlaag zien. Maar over diens oordeel erover zou hij z'n schouders ophalen.

Van Harald kwam hij op Katja. Katja was een incident geweest, al had ze hem volwassen gemaakt in een nacht waarvan hij de hitte nog voelde – een heftige steekvlam vergeleken bij de zinderende gloed van Elvira. Straks zou hij nog even over de kade lopen. Hij zou kijken of het licht bij Marijke nog brandde. Daarna zou hij het schip inspecteren. Het was een ritueel waarmee hij de dag eindigde. Er lag nog wat administratie te wachten, hij moest iemand afbellen die winterberging zocht en dan zou hij naar bed gaan.

Plotseling had ze voor hem gestaan. Willem had haar niet horen aankomen. Hij keek op naar de fiets, zag de handen aan het stuur en daarna de vrouw. Hij kende haar niet. Hij stond op, zag dat ze zijn lengte had. Ze was knap, had blond haar en het ging door hem heen dat ze vijfendertig, misschien veertig kon zijn. Wat hem meteen daarna opviel, was de fiets, in geel en blauw. Wie had het maanden geleden over een opvallende fiets gehad? Hidde? Hidde!
Hij keek haar aan. 'U bent hier eerder geweest.'
De vrouw was even verrast.
'Bent u Bos, Willem Bos?'
'Ja, en wie bent u?'
'Maaike Visser.'
'De naam zegt me niets. Maar u bent hier eerder geweest.'
'Ja, een keer 's avonds met de auto en later op de fiets. Toen heb ik u niet getroffen. Er was een jonge vent die me zei dat u hier woonde.'
'Hidde,' zei hij voor zichzelf.
'En er was een oude man bij.'
'Waarom wilde u weten of ik hier woon? Heeft u een schip of...?'
'Als u het niet was geweest had u mij nu niet gezien. Mag ik m'n fiets neerzetten?'
'Neem me niet kwalijk.'
Hij was weer gaan zitten en had de vrouw een plaatsje op het bankje aangeboden. Ze had haar fiets tegen de muur gezet en was voor hem gaan staan. Hij keek tegen haar op.
'U kunt hier rustig komen zitten.'
Ze was blijven staan.

'U heeft geen idee waarom ik kom?' Ze leek wat ontdaan.

'Nee. Hoezo?'

'Ik ben de dochter van Hanna.'

Hanna, dacht hij. 'Hanna uit Vlaardingen?'

'Mijn moeder.'

'Gaat u toch zitten.' In één keer was hij terug in Vlaardingen. Onrust beving hem. Hij probeerde tijd te winnen, dacht na, dwong zich kalm te blijven. Hanna had dus een dochter. Visser was haar naam. Maaike Visser. Kwam ze hier om hem iets over Hanna te vertellen. Ziekte? Dood? De vrouw was gaan zitten. Ze zaten naar elkaar toegekeerd en keken elkaar rechtstreeks aan. Hij had zichzelf weer in de hand.

'Dat is lang geleden.' Hij zei het meer voor zichzelf. 'Hoe gaat het haar?' Hij voelde haar nabijheid en bleef gespannen.

'Wel goed.'

Het antwoord nodigde uit om door te vragen, maar hij deed het niet. Hij dacht aan Hanna, probeerde zich haar voor de geest te halen, zag haar in de polder op de dag voor hij naar zee ging en op de kade toen ze hem wegbracht. Pas daarna kwamen de beelden van de ruzie bij hem thuis, uit een diepte waarin hij nooit eerder was doorgedrongen, waarin hij ze kennelijk weggedrukt had, uit woede, schaamte, haat? Het onderscheid daartussen was er na al die jaren niet meer. Wel kwam de echo van een emotie.

'Ik heb haar nooit weer gezien. Is ze getrouwd?'

'Nee.' Het antwoord kwam snel, was kortaf.

'Maar u heet Visser.'

'De naam van m'n ex.'

'Nu begrijp ik het.'

'Wat begrijpt u?'

Hij was op z'n hoede. Waar was ze op uit?

'Ik begrijp nog steeds niet waarom u hier gekomen bent, misschien wel kennismaken.'

Hij had eigenlijk geen zin in dit gesprek waarvan hij voelde dat het zou kunnen uitlopen op een twistgesprek. Haar toon beviel hem niet. Hij probeerde het laatste te voorkomen door te zeggen: 'U ziet met wie u kennismaakt, de eigenaar van deze loods, dit werfje en een binnenschip.'

Het hielp niet.

'Mijn moeder heeft me veel over u verteld.'

Zij zit op ramkoers, ze wil iets kwijt, iets wat haar niet zint waarschijnlijk, dacht hij. Ik wil nu weten wat de bedoeling van haar komst is voor het een slaande ruzie wordt.

'Wat heeft ze over mij verteld?'

'Dat u een relatie met haar heeft gehad.'

'Een relatie?' Maar hij had toch nooit een relatie met Hanna gehad?

'Meende uw moeder dat?'

'Ja.'

'Ik denk dat ze zich vergist'.

'Ik denk het niet.'

'Mevrouw Visser, moet ik daar met u over twisten? Hebben mijn woorden dan niet hetzelfde gewicht als die van uw moeder? U kent het verhaal slechts van één kant.'

Hij had er ineens genoeg van.

'Geeft u mij dat verhaal en ik vertel u het mijne.'

'Ze zegt dat ik uw dochter ben.'

'U mijn dochter?' Hij keek verbijsterd en schudde z'n hoofd. 'Het is echt onmogelijk dat ik een dochter heb.'

Hij zag dat zij op haar beurt niet wist hoe ze het had. Het was of ze een klap kreeg waar ze nooit op gerekend had.

'Wat heeft uw moeder u nog meer verteld?' De volle omvang van de betekenis van de ruzie die er destijds bij zijn eerste verlof was geweest drong nu pas tot hem door. Nu zal ze ook weten wat mijn verhaal is, dacht hij.

'Ik heb met uw moeder gevreeën op de dag voor mijn eerste reis. Niet dat ik er prat op ga: ik hield niet van haar. Zij was gek op mij maar ik niet op haar. Zij wilde dat ik met haar vree. Ik vroeg haar of ze de pil gebruikte en ze zei van ja. Toen ik tijdens m'n eerste verlof in Vlaardingen kwam was ze zwanger en ze zei dat het kind van mij was. Ze was bij m'n ouders toen ik daar kwam en hield dat bij hoog en bij laag vol. Ik noemde de pil. Zij zei dat ze de pil niet gebruikt had.

Je hebt met een ander in bed gelegen, zei ik en toen waren de rapen gaar. Mijn ouders begonnen over die pil. Ja, destijds vond men het uit wat

voor overwegingen dan ook, in elk geval in het wereldje van mijn
ouders, misdadig dat een vrouw de pil gebruikte. Het ging op z'n minst
tegen de schepping in. Mijn moeder was furieus op Hanna. Die viel mij
aan en zei dat ik loog en onder m'n verantwoordelijkheid uit probeerde
te komen. Mijn vader viel haar bij: ik moest nu de consequenties dragen.
"Je wilt toch niet dat je kind in zonde geboren wordt?" Het klonk erg
stichtelijk. De ruzie liep op en des te harder er geschreeuwd werd, des te
dover ik er voor werd.

Jullie kunnen me wat, zei ik tegen m'n ouders. Tegen Hanna zei ik dat ze
nu wel begreep dat ik niks meer met haar te maken wilde hebben. Ik zei
dat ik ging. Mijn vader wilde me tegenhouden maar ik heb hem
gedreigd. De beide vrouwen stonden te huilen. Het laatste wat ik zei was
dat ik nooit meer zou terugkomen. Ik ben opgestapt, heb m'n plunjezak
gepakt en ben vertrokken. En daarna ben ik nooit weer in Vlaardingen
geweest. Ook niet bij de begrafenissen van m'n ouders. Ik zat op zee,
maar ook al was ik daar niet geweest, dan zou ik er nog niet bij zijn
geweest. De rouwkaarten en brieven heb ik allemaal onbeantwoord
weggegooid.'

Ze zweeg. Willem keek haar aan, hij was opgelucht, beheerste zich weer
en zei: 'U kiest maar een van beide versies.'

Ze had tranen in de ogen, veegde die weg. 'Ik kan maar beter gaan.' Ze
stond wel op maar ging niet. Ze bleef bij haar fiets staan.

'Als het vanavond nu eens niet over mijn moeder en u ging?'

Ze stond met de handen aan het stuur naar hem toegekeerd.

'Hoe bedoelt u?'

Hij zag dat ze aarzelde verder te gaan. 'Tussen u en mijn moeder komt
het nooit weer goed.'

'Nee,' zei hij kortaf.

Ze raakte weer geëmotioneerd en hakkelde: 'Als u nu eens... wel mijn
vader zou zijn?' Toen snikte ze onbedaarlijk. 'Kunt u zich voorstellen dat
ik graag een vader zou willen hebben?'

Ze liet de fiets los, die op de grond viel. Nu ze haar houvast verloren had,
zeeg ze in elkaar, kwam op haar knieën terecht, zakte door tot op haar
hakken en verborg haar hoofd in haar handen.

Willem zat onbeweeglijk op de bank, keek naar de vrouw voor hem op de grond, hield de adem in.

Een dochter? Hij dacht aan Joke die Schipper teruggevonden had. De gedachte verwarde hem. Een dochter? Hij kon het zich niet voorstellen. Hij stond op, liep naar de vrouw, bukte zich en legde z'n hand op haar schouder.

'Sta op en ga zitten, naast me zitten.'

Hij had geen idee hoe verder te handelen tot hem inviel: 'Over Hanna en mij heb je alles wel gehoord. Ik weet niet wie jij bent. Vertel me over jezelf.'

Ze had hem aangekeken en flauwtjes geglimlacht. Daarna keek ze voor zich uit en zweeg.

Willem wachtte. Hij nam haar van opzij op. Haar haar viel over de kraag van het windjack. Haar gezicht en profiel was even knap als bij de eerste aanblik. Ze had blonde wimpers, een rechte neus; haar wangen waren gevlekt en nat; de bovenlip drukte deels op de onderlip en hield de mond krampachtig gesloten. In haar gezicht herkende hij zichzelf niet; evenmin vond hij er Hanna in terug.

Ze zat wat voorovergebogen. Hij keek naar beneden en zag dat ze haar benen ingetrokken had. Haar schoenen kon hij niet zien. De jeans leken hem nieuw. Ze hield met haar ene hand de andere vast. Ze drukte ze tegen haar buik. Het was alsof ze een aframmeling had gehad.

Hij schrok en verweet zichzelf z'n aanpak. Was die te direct en confronterend? Hij kreeg medelijden met haar maar vroeg zich tegelijkertijd ook af of dat terecht was. In stilte bleef hij wachten tot ze zich oprichtte en begon te praten.

'Neem me niet kwalijk. Het was me even te veel.'

Ze pakte een zakdoekje waarbij ze hem aanstootte en depte haar wangen. Terwijl ze sprak keek ze voor zich uit en slechts af en toe wierp ze vluchtig een blik op hem om bevestigd te zien of hij wel luisterde.

'Ik weet niet waar ik moet beginnen. Ik ben weer alleen. M'n relatie is stukgelopen twee jaar geleden. Ik had een aardige man, een lieve man. Maarten. Ik heb hem in de steek gelaten. Het lag aan mij.'

Ze sprak hortend.

'Aan jou.' Het was geen vraag van hem, eerder een bevestiging van haar vaststelling.

'We hebben verschillende keren geprobeerd kinderen te krijgen maar het lukte niet. Het lag aan mij; hem mankeerde niets. 't Is onderzocht. Ik ben er ziek van geweest – ziek is het enige goeie woord.'

Ze wachtte en hij ook.

'In die periode kwam het verleden naar boven. Hanna heeft me alleen opgevoed maar op een dag vroeg ik waarom andere kinderen een vader hadden en ik niet. Ze vertelde dat ik een vader had maar dat die ver weg was. Op zee. Hoe oud was ik? Ik moet een kleuter geweest zijn. Van het eind van de lagere school herinner ik me opmerkingen van vriendinnetjes dat er iets was, iets bijzonders. Daarmee kwam ik thuis. Het maakte Hanna van streek en ik zweeg. Maar de vragen bleven tot de dag kwam dat ik wilde weten wie mijn vader was. Ik dreigde weg te lopen. Ik was toen veertien, zat op de middelbare school.'

Er stak wind op. De populieren aan de overkant van het water ruisten. Beide keken. Maaike zei: 'Wat een rust. De vorige keer viel me de stilte ook al op.'

Het water rimpelde. Zwaluwen vlogen laag over. Willem keek naar de lucht. 'Het weer verandert.'

'Weet je dat ik wel opa's en oma's had? 's Zondags na de kerk gingen we de ene week naar Hanna's ouders en de andere naar opa en oma Bos. Ik ging niet graag naar ze toe. Hanna kon niet zo goed met ze overweg. Ik denk dat het geen wonder was na wat ze me verteld heeft toen ik wilde weglopen. Alles heeft ze er toen uit gegooid. Woedend was ze op mij maar ook woedend op de opa's en oma's. Ze huilde. Ze huilde zo dat ik op haar schoot kroop. Ik schaamde me dat ik wilde weglopen. Daarna zijn er tijden geweest dat nergens over gesproken is. Maar altijd was er iets, op de achtergrond, even ver weg als de vader. Hanna heeft altijd gezegd dat ze van hem gehouden had en nog van hem houdt. Ik was er een keer bij toen een ouderling op bezoek was tegen wie zij zich moest verdedigen.

'Stel je voor,' – de verontwaardiging klonk er in door – 'na al die jaren werd het haar niet vergeven. En zelfs bij de begrafenissen van jouw ouders klonk het door in de dienst. Ze heeft er onder te lijden gehad. En nog. Het is alsof het erger wordt nu ze ouder is. Waandenkbeelden die ik niet kan doorgronden. Ik kan er niet meer tegen. Ik loop al tegen mezelf

op na de scheiding en dat van haar kan ik er niet meer bij hebben.'
Willem vroeg zich af of Hanna haar gestuurd had maar durfde de vraag
niet te stellen.

'Ik ben gaan studeren, aan de VU in Amsterdam, psychologie. Nu weet ik
dat dat een keuze uit nood was. Ik zat in de knoop met mezelf en dacht
dat de studie helderheid zou bieden. Nee dus. Ik heb me er aan
vastgeklampt als een drenkeling. Ik was een van de besten van m'n jaar
en het heeft me niets geholpen. Niets.

De enige die me begreep, nee, niet begreep maar geduld met me had was
een jaargenoot, Maarten met wie ik ben getrouwd. Met studievrienden
hebben we na ons afstuderen een groepspraktijk opgezet waarin we
verschillende therapieën aanboden. Ik bleek er ongeschikt voor maar
bleef de organisatie en de administratie doen. Tot de scheiding. Ik ben
naar Vlaardingen teruggegaan waar ik voor Hanna bereikbaar ben. Ze
heeft het steeds als ik kom over Willem Bos. "Je vader," zegt ze, en dan
luister ik en praat met haar, praat met haar mee, hoor haar verwachtingen. Ik ging langzaam in haar verhalen mee, ik kon me er niet aan
onttrekken. En misschien wilde ik me er ook wel niet aan onttrekken
omdat ik ook nog steeds naar een houvast zoek omdat ik, na het verlies
van Maarten, met nog meer inzet m'n vader zoek.

Ik heb uitgezocht voor welke maatschappijen je gevaren hebt en ben je
gevolgd. Ik wist dat je weer in Holland was. Ik kende je adres in
IJmuiden, heb je hier opgespoord via de verhuizer en ben op de werf
langsgeweest, met de auto en op de fiets en heb het verlangen gekoesterd
je te vinden.'

Tot laat in de avond had ze verteld. Terwijl ze vertelde, bleef hij zich
afvragen of zij z'n dochter was. Hij twijfelde nu.

'Ik twijfel niet aan je oprechtheid,' had hij geantwoord toen haar verhaal
afgelopen was.

Ze zaten stil op de bank en zwegen. Zij wilde dat hij haar vader was.
Wilde hij dat zij zijn dochter was? Willem wist het niet. Hij huiverde.

'Het wordt te koud om nog langer buiten te blijven. Ik kan je met de
auto wegbrengen,' zei hij, 'maar je kunt ook op het schip overnachten.'

'Ik blijf graag overnachten.'

Hij had haar fiets overeind gezet en in de loods gereden. Daarna had hij

haar gevraagd met hem mee naar het schip te gaan. In de stuurhut had
hij haar uitleg gegeven.

Hij had haar welterusten gewenst en was van boord gegaan.

39

Het eerste wat hij deed toen hij binnen was, was een flesje bier pakken.
Hij zette de fles aan z'n mond. Ik had haar iets moeten aanbieden, dacht
hij. Ik denk dat ze in de kombuis wel wat gevonden heeft. Hij aarzelde of
hij een tweede flesje zou nemen maar het was hem te koud. Hij had te
lang buiten gezeten om warm te blijven.

Hij rommelde wat in de keuken; van z'n plan nog wat aan de administratie te doen was niets gekomen en het telefoongesprek was er ook bij
ingeschoten. Hij was klaarwakker. 'Het heeft geen zin naar bed te gaan,'
mompelde hij, 'ik val toch niet in slaap.'

Hij was aan de keukentafel gaan zitten. Z'n hoofd steunde op z'n arm.
Een dochter? Maaike Visser zijn dochter? Hij twijfelde niet aan wat ze
over zichzelf en Hanna had verteld. Zoals hij over z'n omgang met
Hanna had gesproken, had zij zich over haar verleden uitgesproken.
Toch kon hij uit haar woorden niet concluderen dat ze zijn dochter was.
Hij moest weer denken aan Hanna's woorden over de pil, tijdens de
ruzie. Ze kon hem ook niet gebruikt hebben. De enige verklaring
waarom ze destijds gezegd had dat ze de pil wél gebruikt had, was om
hem gerust te stellen. Maar wie zei hem dat dat niet zo was, dat ze
opzettelijk gelogen had, omdat ze een zwangerschap wilde om hem
daarmee te dwingen voor haar te kiezen. Ze wist dat ze daarbij op de
steun van zijn ouders kon rekenen. Dat haar beweegredenen strategisch
geweest konden zijn. Het pleitte niet voor haar, ook nu nog steeds niet.
Z'n gedachten keerden terug naar Maaike. Haar wens in hem haar vader
te zien had hem verrast en ook, gaf hij nu toe, ontdaan. Hij was niet
gesteld op z'n ouders, laat staan op z'n vader. Hij had hen soms gehaat,
zich tekort gedaan en ingeperkt gevoeld. Nee, liefde voor z'n vader was
hem niet met de paplepel ingegoten. Desondanks voelde hij bij Maaike
een gemis.

Ik kan beter naar bed gaan; ik blijf toch piekeren. In bed waren z'n gedachten weer bij Maaike.

Stel dat ze zijn dochter was, wilde hij dan contact met haar houden? Ze was een volslagen onbekende voor hem. Hoe kon hij haar leren kennen? In geen geval wilde hij Hanna weer zien. Hoe stelde je vast dat ze zijn dochter was? Wilde hij meewerken aan een onderzoek? De rust die hij gevonden had, wilde hij niet op het spel zetten. Misschien is het egoïsme van mijn kant, maar moet ik mijn rust om wille van haar opgeven, vroeg hij zich af.

Hij lag in bed te draaien, keek op de wekker, ging naar de wc en kwam weer in bed enigszins tot rust toen z'n hand z'n lid zocht, hij aan Elvira dacht, haar beelden en de beweging van z'n hand hem opwonden en de ontlading plaatsvond. Hij stapte uit bed om zich te wassen en viel, weer in bed, eindelijk in slaap.

Hij werd wakker, kleedde zich aan en maakte een ontbijttafel voor twee. Toen hij de loods in liep zag hij dat de fiets verdwenen was. De deur van de loods stond open. Hij liep naar buiten, keek rond en zag een steen op de bank.

Hij vond een briefje onder de steen. 'Gun me de tijd om na te denken. Maaike.'

Hij vouwde het papiertje op en deed het in zijn portemonnee. Hij ging op de bank zitten en huilde.